萧乾 主编

新编文史笔记丛书

第二辑

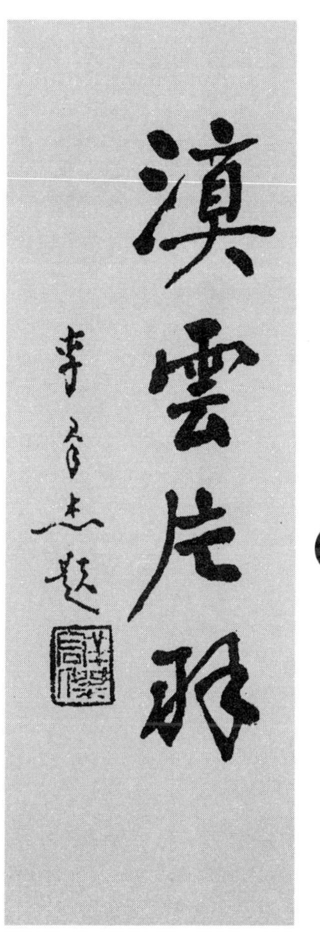

◎云南省文史研究馆 编

●李群杰 王樵 顾峰 主编

中華書局

目录

政海烟云

人物述林

艺苑春秋

文物撷英

金碧琐录

云岭揽胜

民族风情

名产方物

新编文史笔记丛书

序

萧乾

读书界向来对野史有所偏爱。野史大多是信手拈来的历史片断，且往往出自亲历者之手。文直事核，不虚美，不隐恶，而文笔潇洒自如，意味隽永，自然朴实，篇幅不长；可以摊开来仔细咀嚼，也可供茶余酒后、行旅倥偬中，随手浏览。

鲁迅在《华盖集》中，曾几次对野史表示过好感。在《忽然想到》一文中写道："历史上都写着中国的灵魂，指示着将来的命运，只因为涂饰太厚，废话太多，所以很不容易察出底细来。正如通过密叶投射在莓苔上面的月光，只看见点点碎影。但如看野史和杂记,可更容易了然了,因为他们究竟不必太摆史官的架子。”又在同书《这个与那个》一文中说:“野史和杂说自然也免不了有讹传,挟恩怨,但看往事却可以较分明,因为它究竟不像正史那样地装腔作势。”

全国文史研究馆所编的《新编文史笔记》丛书,内容也属野史杂说的范畴。我们希望这些以亲闻、亲见、亲历为主的轶事掌故、琐闻杂记,写人、事而摒除误会曲解,述历史而符合真实面目。

作为一种短隽有味,文字清奇而又雅俗共赏的文学体裁,笔记在中国具有悠久的传统。它始自魏晋,盛行于宋代。南朝刘义庆的《世说新语》,北宋沈括的《梦溪笔谈》,南宋陆游的《老学庵笔记》,明朝张岱的《陶庵梦忆》,清朝纪昀的《阅微草堂笔记》以及20世纪30年代初丰子恺的《缘缘堂随笔》,都是文学史上的奇葩。然而,近年来笔记乏人问津。因此,我们出这一套书,也包含着挽回颓势之意。

全国三十二所文史研究馆拥有雄厚的稿源,两千多位馆员和各馆联系的社会人士,都是丛书的撰稿人。他们都是文史界的耆宿,见多识广,阅历丰富:有的反对过帝制,有的在“五四”运动中扛过大旗,他们目睹过军阀的横行霸道,也经历过艰苦卓绝的八年抗战。这些历尽沧桑的饱学之士,他们的所见所闻,都是弥足珍贵的史料。

本丛书分辑出版，分别由各地文史研究馆编辑，内容亦以本乡本土为主。因此，各册势必具有浓厚的地方色彩。

本着笔记固有的传统，所收各文题材不嫌庞杂。举凡与文史有关的政治、经济、军事、文化、社会等方面，或记闻见杂事，或叙往昔交游，或忆社会百态，均在搜罗之列。时间跨度则自清末以迄1949年为止。这正是中华民族从闭关自守到走向世界，从落后羸弱到奋发图强，是天翻地覆、风起云涌的大半个世纪。其间，发生过多少可歌可泣的事迹，涌现过多少杰出的人物。以这一时间跨度为背景题材写出的笔记作品，必然是内容最为丰厚的。

在选稿标准上，我们坚持史料一定要真，内容要新；既要防止以讹传讹，也力避炒冷饭。在写法上务求短小精悍、生动活泼。每篇以千字为度，希望借此在文风方面，提倡一下简约。在版式上，则想做到既利于阅读，又便于携带。

恳切希望文史界方家及广大读者，不吝赐正。

项崇周的扣林之战

赵　橹

项崇周是百余年前抵抗法国侵略的民族英雄，苗族。他出生在云南省西畴县洒锅底塘村的贫农家中，行四，故人呼之为“年四”。后来他父亲项正清迁居到扣林山下的猛洞寨，崇周就在这里长大成人。他自幼聪明、勇敢，随父耕田、打猎，臂力过人，为各寨群众所推服。

清光绪九年(1883)法帝国主义侵占越南后，进一步把魔掌伸入我国麻栗坡、马关一带。这时，为了保家卫国，项崇周约集了猛洞一带各族群众二百多人，奋起抵抗。在野猪塘、马跌坎、扣林山和黄瓜坡等地大小战役中,以长矛、大刀、火铳、毒弩,以至滚木擂石为武器,一次又一次地打败了手持来福枪、锥把枪的法国侵略军。光绪十一年(1885),最终将盘踞在猛洞、船头和新寨地区的法国侵略者,全部驱逐出去,收复了祖国的神圣领土。项崇周自此镇守于马关、麻栗坡一带国境线上三十余年,使法国侵略者望而丧胆,不敢跨越界碑。

项崇周在抗法的大小战役中,扣林山战役是最猛烈,也是最关键的一战。1884 年,崇周所率领的爱国志士,连续在野猪塘和马跌坎的战役中,狠狠打败法国侵略者,将他们赶回河口老窝。然而侵略者野心不死,第二年又以千余兵卒,从河口绕道进犯老山,直扑扣林山。当时崇周部队人少,遭到突然袭击,虽奋勇抵抗,敌众我寡,伤亡很大。当此千钧一发之际,崇周认为必须改变战略,保住实力,出奇制胜,始能击败敌人。

于是,项崇周精选出几十名壮士,组成一支敢死队,脱去号衣,亲自率领,夜袭法军新寨的大本营,用大刀将沉睡的法军砍杀大半,其余法军抱头鼠窜而逃。项崇周以大军乘胜追击,一直把侵略者打回到河江去。从此,法国侵略者不敢再来侵扰。

项崇周卒于 1914 年。征战一生,充分表现了他热爱祖国、护卫乡土的高尚精神。

昆明最早的学生运动

胡以钦

辛亥革命前,清政府在云南统治甚严,学生无公开集会之自由,后在云南革命党人的影响下,学生的政治活动才得以蓬勃开展。当时云南留日学生在东京创办的《云南》杂志正宣传民族主义和爱国主义思想,对云南学生影响很大。每见同盟会张贴的集会广告,就踊跃参加,学生运动便随之发展。第一次是清政府允许法帝国主义获得在云南七府开采矿业的权利,省立师范学生便举行全校罢课,以示抗议,接着响应的学校,有初级师范学校。清政府立即宣布"强迫复课","禁止学生上街","隔离各学校不得互相往来",迫使学生难以结集。第二次是在1911年4月27日黄花岗七十二烈士壮烈牺牲的消息传来后,师范学校完全科的同学发起了一次罢课,以示抗议。可是清政府宣称:"凡主张罢课者即为革命党。"同时将倡导罢课的学生卫秉钧、蓝馥、包顺建、田钟谷等开除。后来这四人都考入云南陆军讲武堂,继续从事推翻清王朝的革命运动。

七十二烈士中有滇人

万寿康

宣统三年三月二十九日（1911年4月27日），同盟会在广州起义，喻培伦等百余人英勇牺牲，党人潘达微，以慈善团体名义，收烈士遗骸七十二具，丛葬于广州黄花岗。除平素知名者外，虽经当时参与党人多方调查，屡次审议，只能证明某某确死于是役，实难证明某某确葬于此地。

云南革命党人吕志伊曾参与是役，担任撰拟法令、檄文，并保存印信、密件等职务，他曾谈过："有滇同志宋某，由滇赴港入粤，参加是役后即失踪。熊克武、何克夫两君知宋同志之名及其死事，皆谓丛葬于黄花岗中。"

吕志伊在《祭黄花岗烈士墓赋感诗十首》中有云：

九龙车驶五羊城，杖策黄花岗上行；
含泪鞠躬心痛甚，英雄没世半无名。

即纪此事。

黄毓英冒死说蔡锷

敬　之

1911年春，同盟会员黄毓英(子和)，按黄兴、吕志伊的意见潜返昆明，住在邓泰中家，密切联系在昆明的革命同志。黄认为："无武装便不能推翻清王朝，一定要设法接近一些军官，靠部队才能成事。"但当时驻滇的新军第十九镇中，军官多系北洋系和前总督锡良由四川带来的人，很难打入活动，后经在七十四标任管带的唐继尧、李鸿祥的保荐，黄才进入七十四标三营充当见习排长。尽管清军中对革命党活动防范甚严，黄仍在士兵中设法进行革命宣传，揭露清政府腐朽和丧权辱国的罪行，号召"好男儿应以救同胞、谋幸福为任，虽死犹荣"。黄言辞恳切，士兵多为感动，靠拢革命者日增。

1911年6月，蔡锷由新任总督李经羲调滇任十九镇第三十七协协统，以特具才干，深得李督的赏识和信任。但蔡初来，从不表示态度。同盟会军官李鸿祥、刘存厚、雷飚等，不敢冒昧在军中活动；但均认为蔡是维新派人物，能否争取他与同盟会合作，实是革命的关键。黄毓英遂冒险去见蔡锷，当时以一个排长去见旅长(协统)，非同寻常。蔡问他来干什么，黄答："受同盟会之

托来见。”蔡问:“你怎么敢来见我?”黄道:“不怕你我才来的,要是怕你就不来了。”蔡对黄的胆识不禁感动,黄乃与之畅谈了云南同盟会的情况,蔡表示赞同革命。但对黄说:“我接受你的意见,不过要转告同人:我自会运用时机,但要特别小心,不能稍有泄露。”经过不断地努力,蔡所辖七十三标中除三个队外,均赞成革命,七十四标、炮标也全表赞同。讲武堂特别班毕业生,分到军中见习,丙班生到各队实习,因大都是同盟会员,革命力量更加强大。辛亥重九云南起义之能一举成功,即全靠这些起义部队。云南光复后,人民为纪念黄毓英,为其立铜像于忠烈祠前,并建祠供奉,实非偶然。

李增发起组织“护国演说社”

杨应康

李增(1874—1933)字灿高,晚号散匏,澄江人,前清拔贡,任过户部主事、云南咨议局议官。辛亥革命后,任省军政参议处参议长。他忧国忧民,爱国爱乡,看到袁世凯窃夺国柄、蓄谋称帝,甚为气愤,乃于1916年1月26日发起组织云南护国演说社,有夏伯鲁、陈思孝、牛灿南、陈禹平、罗养儒、李品桂等各党派及各阶层人士参加。制定的章程确定:“本社以申明大义,发扬民主，辅助本省政府扫除帝制，拥护共和为宗旨。”决定每星期三、六、日三天，分别派员向群众演说。李增带头出动，亲自撰写讲稿，共十二讲，从护国讨袁的意义讲到反袁的方针策略。每篇讲一个问题，文字通俗易懂。选择群众集中的云华茶园和群舞台为阵地，利用演出间隙，亲自登台演讲，阐明护国起义是全省人民的神圣职责，只有推翻袁世凯，才能保卫共和。他的演说很受欢迎，听众常报以热烈的鼓掌。

护国讨袁胜利后，李增被选为国会众议院议员，1916年10月众议院在京召开大会，张华澜、李增等议员提出以每年12月25日为云南起义纪念日，后经大会通过，列为民国纪念日。

叶剑英在云南讲武堂赋诗

叶剑英同志于1920年前后在云南讲武堂第十二期学习时，诗思敏捷，尝饮酒赋诗，并参加师生组织的“剑余诗社”，曾以剑影为名发表诗作。该社当年编印的《剑余诗集》中登载他的便装照片，注明“叶剑英字剑影，广东梅县人”字样，并刊有所作近体诗十五首。其中《送赵君益坚出发水东》云：“扬鞭驱万里，之子乐风尘。念我飘蓬意，思君奋翮身。燕然思窦碣，珠海拟汪伦。世乱谁非客，前程处处春。”在《夜雨衔杯》七律中，有“会将剑匣拼孤注，又向毫锥汨诗情”句，洋溢着投身革命的壮志豪情。他还有二首七绝咏《梅》诗，赞美梅花的高洁品格，自比梅花，格调清新。

朱德抒怀赠映空

罗文锦　杨毓骧

朱德于1909年由川来滇，考进云南陆军讲武堂，历经辛亥重九起义，护国、靖国战争，在滇十三年，倾心为国，奋战沙场。1921年出任云南陆军宪兵司令，继任警察厅长。当时帝制虽已推翻，军阀混战又起，内乱频仍。他心潮激荡，胸中郁闷，为此常去金汁河畔的昙华寺流连遣兴。1922年春，曾撰写诗文赠住持映空和尚，映空甚为珍视，刻石立碑。

敬赠　映空大和尚　雅鉴：

余素喜泉林，厌尘嚣。清末叶，内讧未息，外患频来。生当其时，若尽袖手旁观，必蹈越南覆辙。不得已奋身军界，共济时艰。初意扫除专制，恢复民权，即行告退。讵料国事日非，仔肩难卸，戎马连绵，转瞬十稔。庚申冬，颁师回滇，改膺宪兵司令，维持补救，百端待理。虽未获解甲归田，较之枪林弹雨，血战沙场时，劳逸奚啻天渊。公余，尝偕友游昙华寺，见夫花木亭亭，四时不谢，足以娱情养性。询皆映空大和尚手植。且募修庙宇，清幽古雅，洵属杀费苦心。与之接谈，词严义正，一尘不染，诚法门所罕觏。爰为俚言，以志钦慕。

映空和尚，天真烂漫。豁然其度，超然其象。世事浮云，形骸放浪。栽花种竹，除邪涤荡。与野鸟为朋，结孤云为伴。砌石作床眠，抄经月下看。身之荣辱兮茫茫，人之生死兮淡淡。寒依日兮暑依风，渴思饮兮饥思饭。不管国家存亡，焉知人间聚散。无人无我，有相无相。时局如斯，令人想向！

中华民国壬戌年孟春月　西蜀朱德敬赠

诗文赠映空后不久，朱德即离开昆明前往欧洲，在柏林参加了中国共产党，从此为无产阶级革命事业奋斗终身。这块诗文碑，既是他在云南任职时的遗作，也是研究作者思想发展的重要资料。

王德三谱写革命歌

谷　丰

王德三(1898—1930)是中共云南地下党早期的主要负责人。在北京大学学习时，积极从事

革命活动，并发表过宣传马列主义的文章。1922年加入中国共产党，1926年赴广州，在周恩来同志领导下，担任黄埔军校政治教官，并兼国民革命军第三军(滇军朱培德部)留守处开办的政治训练班的主任，以培训云南籍青年。

1927年初，中共广东区委派他回滇，担任中共云南特委书记。时值大革命失败，白色恐怖严重，他仍坚持斗争。曾赴莫斯科参加中共第六次代表大会。返滇后，为了传达六大和“八七”会议精神，他编写了一些革命歌曲，曾按华航琛的学堂军歌《光复纪念》原谱，新写了《土地大革命》歌词，其词云：“准备暴动要齐心，告我工农兵：高高举红旗，斧头镰刀五角星。被剥削的阶级，被压迫的人们，只有革命是出路，舍了斗争无生存。暴动！暴动！武装齐把政权争。军阀地主与豪绅，概推翻，都杀尽，分配土地成立苏维埃，工农兵要作天下的主人。快拿紧斧头，快握住镰刀，最后的胜利，终属于我们。”歌谱虽旧，唱词却新，群众熟悉，很快就流传开来。他还率众高唱《国际歌》、《打倒列强，打倒军阀》、《工农兵联合起来》、《暴动歌》、《告士兵》等歌曲，以抒发革命情怀。

1930年冬，正当他领导全省党员开展农村暴动和武装斗争之际，被叛徒出卖，英勇就义。

罗炳辉将军的一封家书

江　恒

1942年，罗炳辉同志担任新四军第二师师长时，在苏皖边区的来安、天长、六合一带，都曾与日寇展开激烈的战斗。在那艰苦抗战的日子里，罗炳辉同志突然接到来自云南彝良家乡的书信，报知其父亲病逝的消息。

这年9月4日，罗炳辉同志给家里写了回信，报告在抗日前线打击和消灭敌人的振奋人心的胜利消息，然后才谈到父亲的病逝给他自己带来的悲痛。他以坚强的革命意志战胜了个人私情，他写道："当知道父亲去世，使我想起先父贫困的一生，不由我血泪难忍。但愿这一切都成为历史，悲痛伤感都是无益的，只有牺牲个人的一切，为中华民族独立自由，为整个世界上广大劳苦大众的解放而奋斗。……为求得人类真正自由平等而努力。……"

这封信已被收集珍藏在云南省博物馆里。罗炳辉同志为争取民族独立和人类解放事业而不惜牺牲自己一切的崇高革命精神，跃然纸上，一个无产阶级革命战士的高大形象，巍然屹立在我们面前。

“团歌”抒壮怀

李庚禹

抗日战争后期，1945 年 2 月 5 日，简立从驻昆明伞兵鸿翔部队调汽车十四团任少将团长，后率部远征到达印度汀江时，简立与翻译官合作，为汽车团谱写了一首《团歌》，歌词如下：

男儿快意着先鞭，投笔从戎志最坚；
出国远征何壮伟，飞越喜马拉雅山之巅。
铁轮电掣机械化，利兵坚甲永无前。
浪涛翻热血，勋业著青年；
气魄吞三岛，雷辙震九天。
祖国兴复，世界和平，
惟我中华儿女，重任寄吾肩。

歌词写出了知识青年从军远征，抗日救亡的心声和意志，充满爱国激情，深受全团驾驶员赞赏，从此唱不绝口。

黄人钦舍家报国

陶任之

黄人钦,云南姚安人,在六十军一八三师五四一旅一〇八二团任连长。因在出征抗日前一周结婚,团长主动准他婚假一月,令其假满乘车归队。人钦说“不必了”,仍随部队出发。在1938年4月的徐州会战中,人钦奋勇当先,激战终日,不幸壮烈牺牲。在他衣袋中有致妻遗书一封,为牺牲前夕所写,略谓“倭寇深入国土,民族危在旦夕,身为军人,义当报国,万一不幸,希汝改嫁,切勿自误”。乃将遗书及血衣等物寄回家中。其妻悲痛欲绝,后将遗物建衣冠冢于祖茔,家乡父老为之泪下,悼挽诗章甚多,其中刘德修先生悼诗云:

东亚风云腾雾起,国事艰危空前史。
全民齐奋鲁阳戈,万里戎机争赴死。
匈奴未灭何为家?弥月未度辜月华。
朝发滇云望东海,气吞三岛鬼一车。
盾头磨墨书壮志,暂移孝思作忠义。
誓以铁血回吾国,儿女岂为英雄累。
鲁南大战既展开,摧锋陷阵鬼神哀。
台儿庄下英风在,马革何必裹尸回。
吁嗟无定河边骨,深闺梦里犹触目。

遗书字字照丹青，国殇汪踦光民族。

诗作写得悲愤动人，人钦爱国情殷，劝妻改嫁，终于为国捐躯，死而无憾。

草上飞为国捐躯

谷　丰

滇剧演员张辅廷，艺名草上飞，为李春林之徒。1928 年由昆明到保山一带演出，他是玉林班有名武生，刀矛剑棍，件件皆能，翻打扑跌，无一不精，长靠短打，十分娴熟。有次他演《三盗九龙杯》，出台亮相时，观众还以为他忘了开脸，全场哗然。待他以手袖掩面打引之际，右手在脸上随意涂抹，霎时刻杨香武的形象突然出现，台下掌声雷动。他一个纵步，两腿夹住舞台柱子，双手一张转身向外一倾，随即一个倒踢又翻进场，后又连续小翻出场，将至台口，飞身向台外，能从观众头上越过，再一个空心倒踢翻回台中，观众莫不叫绝。所演《活捉杨林》和《活捉刘十四》中的打叉，能将三五把叉同时甩出，均能百发百中，不伤对方演员一根毫毛，动作之敏捷流利，令人惊心动魄。

1942 年 5 月初，日本飞机轰炸保山，戏院被毁，戏班流散。继而日军由缅甸进攻滇西，腾冲、龙陵相继沦陷。为阻止日寇东进，我军毅然炸毁惠通桥，敌我隔江对峙。1944年夏，在我军反攻之际，张辅廷为了报效祖国，曾誓言“还我河山，为国效命，正此时也”，主动向军事当局请命，自愿深入腾冲侦探敌情，他装成一个老乞婆，多次往返于腾、保之间，获悉敌情甚多，曾受我军嘉奖。后为日寇察觉被捕，他誓死不屈，壮烈牺牲于腾冲。

徐汉君改装投军

赵　趣

“九一八”事变后，云南人民义愤填膺，不甘屈辱，有志之士，纷纷投笔从戎，以身许国，昆明徐汉君女士就是其中之一。当时，云南军队与全国一样，尚无女子从军先例，徐汉君救国心切，毅然女扮男装，投考三十八军(滇军)军官候补生队，录取入队后，经过一段时间，终被发觉，队长勒令退学，她坚决不肯，队长颇嘉其志，于是再招部分女生，成立一个女生队。抗战初期，云南成立“云南妇女战地服务团”，随六十军出征抗日，徐汉君曾任该团团长，活跃在抗日前线，被誉为“现代花木兰”。

誓死反对内战

彭允中

1945年,抗战胜利后,昆明大中学校学生为反内战、争民主,掀起了轰轰烈烈的学生运动。国民党为镇压学生运动,先后派遣暴徒打入西南联合大学、云南大学、中法大学、联大附中等校行凶破坏,打伤许多学生,在联大文理法学院新校舍门前及联大师范学院内用手榴弹炸死师生四人。这就是震惊中外的“一二·一”惨案。

在联大新校舍遭到围攻时,全校学生同仇敌忾,为了民主,和平,真理和正义,同学们决心斗争到底。当时联大新校舍北区二十四号宿舍张友仁、江文焕等七个同学,从守卫校门的第一线换班下来回到宿舍中,相约立即各写一份绝命书,甘愿为争取民主而牺牲。绝命书写好了,又一同到宿舍南边合影留念,然后抖擞精神,赶到校门守卫。七人中,江文焕是浙江人,毕业后回乡从事教育工作,解放战争时期参加中国共产党,1949年1月被国民党京沪杭警备司令汤恩伯部队逮捕,汤亲自签令活埋,解放后,人民政府褒为革命烈士。当年写绝命书的七同学之一、北京大学张友仁教授,把他珍藏了三十多年的写绝命书的七人合影,捐赠给“一二·一”纪念馆。

闻一多的追悼会及葬礼

顾　峰

李公朴先生被特务暗杀后，闻一多先生忙于料理治丧事宜，1946年7月15日上午在云南大学至公堂举行李公朴先生生平报告会，闻先生作了著名的《最后的演讲》，在演讲末尾，他曾说："我们不怕死，我们有牺牲的精神，我们随时像李先生一样：前脚跨出大门，后脚就不准备再跨入大门。"当天下午，闻先生在民主周刊社举行记者招待会，会毕返家，尚未进家，就在西仓坡被特务枪杀。

翌晨，我到北门外云大医院瞻仰遗容。遗体放在一间小瓦房里，头部有白布蒙盖，露出破旧的长衫，左脚上还套着深黄色的旧袜，床前有盏香油灯，点燃着素烛清香，状至凄凉。我深深地三鞠躬，伫立床前默哀，一阵鼻酸，悲从中来……

两天后，闻一多先生追悼大会在文林街师院附中一间教室里举行，灵堂遗像前摆满花圈、祭幛等，约百多人参加。前边多为学者教授，后边是青年学生，由查良钊主祭，梅贻琦先生致悼词，讲闻先生的治学精神和学术成就，评论了《死水》、《红烛》的艺术特色，对其死因却一字不

提,使人心情压抑而沉痛!

追悼会后,我随一群悼念者去参加闻先生衣冠冢的葬礼。在昆明师院内的四烈士墓前正中,已挖好三市尺深的土坑,一个两市尺长的长方木盒,里边红漆,外边黑漆,内装闻先生的衫子马褂和帽子等物,钉上盖子后,端正地安放坑中,主祭者铲了三铲土,后由土工垒成坟,大家在坟前行礼致祭。

闻先生积极参加了"一二·一"学生运动,是民主运动的导师,是热情的爱国主义者,如今他与四烈士相伴长眠,正昭示着"一个人倒下去了,千百万人民站起来"!

南疆丹娘——孙兰英

刘 琦

孙兰英(1927—1948),昆明人,原名施佩瑛,是我在云大附中的同学。

1948 年 9 月,云南地下党派民主青年同盟成员的孙兰英到易门县,担任地下县委。11 月,在她领导下的农民武装占领了上定乡乡政府,杀死县上派来的税收人员;扣押了大地主吴华三的马帮;打开土豪劣绅的仓库,把粮食分给贫苦农民。

敌人惊惶失措,从省城搬来二十六军一个

工兵营,又由吴华三亲自带领县常备队,镇压农民武装。孙兰英果敢沉着地指挥农民武装打了两次胜仗,但终因敌我力量过于悬殊,游击队遭到了严重挫折。孙兰英安排同志们转移后,自己留下来坚持斗争,被叛徒出卖而被捕。

残酷野蛮的审讯在文昌宫里进行,凶残的敌人问:"是谁派你来的?"孙兰英答:"我自己!""来做什么?""当人民的长工。""你的同党是哪些?""全中国人民都是我的同党,到处都是我们的同志!""为什么当土匪?""我没有抢老百姓,没有杀老百姓,我没有当过土匪!"……

敌人的审讯失败了。吴华三改变了方式,请孙兰英去"赴宴",想用高官厚禄诱劝她变节,孙兰英将敌人的筵席掀翻了。敌人诡计落空,命令匪徒脱去孙兰英的衣服,用烧红的通条穿刺她的乳房、嘴唇。她多次昏死过去,一直被折磨到天亮。第二天,敌人又用竹针钉进她的手指,仍然毫无所获。

敌人黔驴技穷,在枪杀起义武装大队长赵小峰、中队长马玉祥时,把孙兰英拉去陪杀,逼她投降,结果只增添了孙兰英对敌人的刻骨仇恨。敌人又把她拉去上电刑……

整整三天三夜,孙兰英一次又一次昏死,一次接一次地被敌人用冷水浇醒,继续用刑……

农历十一月十八日,敌人把奄奄一息的孙兰英抬到六里阱枪决。她浑身创伤、脓血,赤着一只脚,肿胀的十指已粘在一起,她竭力挺直身体,高呼“毛泽东万岁!共产党万岁!”英勇就义,牺牲时年仅二十岁。

陈荣昌首荐梁启超

张一鸣

梁启超参加光绪二十一年(1895)乙未科会试,才华受到部分考官的赏识,拟予录取,但因主考官徐桐阻挠而未中。过去人们认为,赏识梁的是考官李文田,其实慧眼识才,最先向李荐梁者,为昆明陈荣昌。

陈荣昌(1860—1935)在光绪八年(1882)壬午科乡试中解元后,翌年赴京参加会试,联捷进士,朝考一等,授职翰林院编修。乙未科会试时,为考官之一,分阅十八房考生试卷。他在广东卷中,发现有一考生,才气横溢,见解卓越,即在试卷上加批，向考官李文田(时任礼部侍郎)推荐，建议录取。这考生就是梁启超。李对梁三场试卷亦极为赏识，首场批："识解高超，非嘉道以后门径。"二场批："五艺皆佳妙，瑰才也！"三场批："五策详瞻古雅，不仅十事九对，海内之通才也!"试卷送到主考官徐桐 (协办大学士，吏部尚书)处，徐认为该试卷"文字皆背绳尺，必非佳士，不可取"，并以"祖庇同乡"的罪名压李(按李为广东顺德人，梁为新会人)。李爱莫能助，只有惋惜地批了一句："还君明珠双泪垂，惜哉！惜哉！"仍将试卷发还房官陈荣昌。陈深感惊诧，就给李写了一封信，在引录了李对梁三场试卷的批语后，对此表示"不得其解"，并责问李："贵考官果爱才若命耶?不宜得明珠而掷还也；果弃才如遗耶?不宜为之垂泪也！"他还建议："且今距发榜尚十余日，会榜一日不发，即荐卷一日可补。"不顾忌讳，硬荐强保，再一次将梁试卷呈报李，谓"伏望详加裁夺"，然终因徐桐坚持不录而未果。陈写给李的这封信，即《闱中与李若农侍郎书》，后收入陈著《虚斋文集》。

唐继尧赋诗抒怀

李建恩

光绪三十年(1904)，唐继尧由家乡会泽赴昆明，参加公费留学生考试，考中后东渡日本，时年二十二岁。他一心以武力救国，立志学习军事，先后在日本振武学校、士官学校就学。

在日留学期间，他曾赋诗一首，抒发报国情怀：

救亡多半属青年，痛苦投闲万里天。
默祷神州多豪俊，暗锄心地少尘缘。
痴情皓齿歌长恨，抱痛苍生哭倒悬。
宝剑光芒征马壮，驰驱大地快扬鞭。

当时，日本已吞并朝鲜，魔爪将伸入中国，其侵略扩张的言论资料，都对中国留学生严格保密；中国留学生偏偏高价购买"机密禁书"，日本当局便下令搜查中国留学生。唐继尧曾悲愤地高吟："莫对青天唤奈何，扫开忧愤且狂歌。"

离日返国途中，他取道朝鲜，要亲眼看一看日本帝国主义铁蹄下的朝鲜现实。中朝是唇齿相依的邻邦，而当时展现在唐继尧眼中的，却是一幅国破家亡、民不聊生的凄凉景象。唐继尧怀着唇亡齿寒的悲痛，写下了三首《感赋》诗：

悲水愁山几断肠，天公何独罪东方？
苍生苦恼人相食，犹自笙歌视虎狼。

衣冠犹是汉威仪，对此如何不泪垂。
大陆龙腾三万里，快分霖雨润藩篱。

宫花苑草不成春，惨淡当年旧血痕。
龙剑横飞欧亚日，仇人肝胆慰英魂。

怀着对日本帝国主义的仇恨，对朝鲜的同情，他自1909年回国后，就积极投身于民主革命的洪流。

礼送总督出滇

孙仲因 遗作　江予贤 整理

辛亥重九起义，罗佩金部攻入总督署，云贵总督李经羲已逃遁，卧室内有鸦片烟数十缸，箱内有黄金四条，上有“同知胡思义谨呈”字样，此贿金也。胡本为蒙自县令，后升署个旧厅。还有存在同庆丰钱庄的白银四万余两票证。

当唐继尧、谢汝翼、庾恩旸等部炮轰总督署时，李经羲知事不可为，早于夜间将围墙挖洞携眷逃到如意巷萧巡捕家中躲藏，后被搜获。其子李国筠与熊范舆则在陆宅床下搜获。李经羲由咨议局致书蔡锷、李根源，要求三事：一、可杀不可辱；二、保护其眷口回籍；三、亦愿为之尽力办事云云。蔡、李接信后，偕咨议局议长张惟聪、段宇清等往见之。时三人跪地，抱头大哭，乃入居咨议局。步行过市，蔡锷搀其左手，李根源挽其右手，李经羲面上泪痕未干，百姓观者如堵。居数日，经羲请求赴沪养病，蔡、李等以旧属之故，始终礼遇未衰，护送出滇。经羲所存鸦片金银准其带走，作养老之资；另送五千大洋赆仪；全眷车资，均由公备。李经羲行时，蔡锷向他索取总督印信，李说：“我至香港，尚有奏摺呈摄政王，以了我之责任。”径自带走。又其爱妾托人求当事，请代寻觅其珍珠手镯，还说“此镯系经羲纳彼时之定情物，买价六万元”云，未知代办否。李经羲到达河口时，私自向副督办许九畹处携走公款三千元，安抵香港。

轿夫总理靳云鹏

王九龄 遗作　万寿康 整理

靳云鹏是段祺瑞的得意门生，徐世昌当总统时，曾任命靳云鹏为内阁总理。但靳于清末在云南任过新军第十九镇的总参议，属北洋军系统，在昆明重九起义时，被起义军追击，几乎丧命。靳任总理时，我因唐继尧派赴北京与其协商政务，靳很健谈，公余曾向我述及他在昆明的脱险经历。

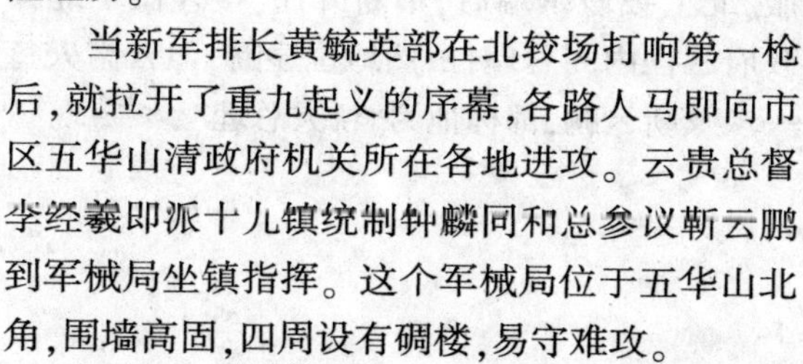

当新军排长黄毓英部在北较场打响第一枪后，就拉开了重九起义的序幕，各路人马即向市区五华山清政府机关所在各地进攻。云贵总督李经羲即派十九镇统制钟麟同和总参议靳云鹏到军械局坐镇指挥。这个军械局位于五华山北角，围墙高固，四周设有碉楼，易守难攻。

起义军久攻不下，后用火药轰开围墙，遂占

领了军械局。钟麟同、靳云鹏暗中从五华山大营门逃出后，各奔东西。靳往西逃，经华山南路，拟先去熟人处躲藏，再定行止，连走数家，其夫人皆谓不可。靳愤而大呼："这家不行，那家不行，难道要我去见城隍老爹？"不吉之语冲口而出，忽然悟到惟城隍庙最安全。乃换轿夫衣服，径投城隍庙中。幸庙门尚未关闭，战乱之时，亦无人进庙烧香。城隍菩萨供桌前系有桌围，他就钻到桌下，蹲坐两天一夜，一心只顾逃命，也忘却了饥饿。

后被庙中住持发现，厉声大骂："何来这个要犯惯偷，竟敢躲在神桌之下，不怕有渎神灵！"并扬言要报保甲捉拿，靳吓得拔腿就跑，冲出庙门后，因身穿轿夫衣服，容易骗过城门岗哨，沿途绕道至滇越铁路火车站，遇见外逃之陆军医院陈院长。靳因眼斜一只，并身穿轿夫衣服，陈初不注意，但觉似曾相识，经仔细观察后，始认出是总参议靳云鹏，一把将他拉上火车，始得逃离云南。在出河口之前，靳始终未敢更换轿夫衣服，北上投段祺瑞后，不断升迁，接连做了北洋政府三任内阁总理，虽然地位显赫，但云南人每一谈及靳云鹏，都称他为"轿夫总理"。

蔡锷微服出访

谢本书

辛亥革命时期，年仅二十九岁的蔡锷担任了云南军政府都督，成了一省之长。他为了迅速稳定社会秩序，恢复生产，安定人民生活，想来想去，决定微服出访，了解情况，然后制订改革措施。

一个初冬傍晚，蔡锷换上一套蓝布长衫，穿着土布鞋，不带随从，走出了都督府大门。他在大街上，边走边看，还主动与老人、年轻人攀谈。这时的昆明城区人口，大约只有十多万，人们因革命成功而欢欣，却又对当前生活困难而焦急。蔡锷走着走着，脑子里逐渐形成了一个概念：云南需要改革，社会需要安定，生产需要恢复，生活需要改善。

夜深，蔡锷返回都督府，进入大门时，岗亭卫兵大吼一声："证件！"蔡锷既未穿军衣，也未带证件，而卫兵却是新兵，不认识他。蔡乃转到都督府的后门，后门的卫兵也不认识他，还是要证件。蔡锷不便说明自己的身份，只说："请通报，我要会见都督大人。"卫兵看着这个衣着不整的年轻人，顿起疑心，忍不住扇了蔡锷两巴掌。

恰巧这时，从都督府内走出一年轻参谋，迎

着蔡锷喊了一声“都督！”蔡锷没多说什么，只对参谋说：“到我办公室来一下。”

蔡锷到办公室写了一纸手令，要参谋“照命令马上执行”。参谋一看，手令是要提拔后门卫兵为排长。当参谋拿着手令到后门时，卫兵却不见了，但步枪还在，据说是知道错打了蔡都督，吓跑了！

石陶钧与蔡锷

何开明

石陶钧字醉六，湖南邵阳人，与蔡锷同邑，同时中秀才，同在长沙时务学堂攻读，同入日本士官学校。1904年蔡毕业回国，至江西任续备左军随营学堂监督，旋回湘任教练处帮办兼武备、兵同两学堂教官。1911年云贵总督李经羲调蔡至滇任三十七协协统，是年重九节，蔡率新军在昆明起义，被举为云南都督。民国元年(1912)蔡邀石至滇，聘为都督府顾问。

某日，石戏为一联示蔡，蔡阅后大笑。联云：“顾鸿雁麋鹿而乐；问兵刑钱谷不知。”联用丹顶格，以“顾问”二字嵌入上下联之首。妙在都督府内确有鸿雁麋鹿之属，原为两级师范学堂饲养，学堂迁走后，都督府继续饲养。石腹笥甚富，偶有戏作，亦颇雅致。

议会斥袁

赵和甫

民国二年(1913)北京袁世凯政府开首届国会,各省依法选举参众议院议员赴京参加,云南选出赵藩和李根源赴会。

赵藩被选为众议院临时议长, 主持众议院事。在变化万端的政局中,他看出袁世凯心怀异谋,阴谋复辟帝制,剪除异己,制造党争,他有见及此, 故一直站在反对派一方, 并多次挺身而出,仗义斥责,甚至写诗投报公开斥袁,深为袁氏嫉恨。但袁又重赵的学养声誉,仍通过多方关系,意图收买归己所用。曾托云南同乡丁槐,同年友朱家宝等向赵封官许愿,允用为礼部尚书,为之制礼作乐,规划典章,赵概予峻拒。余杭章太炎先生时亦作众议员, 赵赠太炎先生诗云:"君是浙西章疯子,我是滇南赵病翁,君岂癫狂我岂病,补天浴日此心同。"后章氏卒为袁拘囚,赵则与李根源乘间逃天津,李赴日活动,赵从海道经港越回滇。适蔡锷亦脱险抵昆,与唐继尧率滇军将士及本省父老兄弟代表人物歃血饮盟,通电讨袁,组护国军出征。赵不仅参加起义,还单独以"滇男子"的名义通电讨袁,陈词慷慨激昂,大义凛然,传诵一时。护国军出,赵藩受护国

军政府及地方推选，出主全省团保总局，策划组训民团，为护国军后继。受委托之初，即在团保局大门题联示志，联云：“团保踵周官，通变前规联众志；义声倡滇徼，坚持后劲矢同心。”联语壮志激昂，自勉自励，并以鼓励同仁共赴艰难。护国胜利，授赵藩以国家一等嘉禾勋章及一等文虎勋章。

“护国军”名称的由来

叶祖荫

1915年12月25日，云南“以一隅而为天下先”，毅然举起了反对袁世凯称帝复辟的义旗，旋即组织“护国军”出师讨袁。

对于“护国军”名称的由来，众说纷纭，其说有二：一说蔡锷在北京护国寺街棉花胡同的住宅被袁世凯派人搜查，故反袁之师，遂以其地而名；一说云南军队将领起义前歃血盟誓的地点在昆明护国寺，故就地命名。其实这些说法多出自当时小报的附会杜撰，如后一说法，遍查当时昆明庙宇，并无护国寺之名。

北京《民国新报》1916年11月3日至11日登载护国起义重要当事人之一的吕天民先生所撰《云南举义实录》中提出，“护国军”这一名称是由他提出来的。吕天民，名志伊，云南思茅人，民国建立，任南京临时政府司法次长。1915年春，奉孙中山先生之命，回云南策动滇军。经多方活动，在1915年9月前，他即和滇军中掌握实际兵权的中下级军官，议定了发动起义的时机和作战计划等重大问题，并争取唐继尧表明了态度，支持讨袁。在云南起义大局已定后，他应唐继尧之请，于1915年10月底赴海外联络各方豪杰。在香港，他向革命党人李烈钧、李根源、钮永建及倾向反袁的陆荣廷、冯国璋的代表介绍了云南准备起义的情况。这时，他们对讨袁的起义军队名称作了商议。吕文称"而此次护国军之名义，即予于此时所拟议者。予并拟有护国军讨国贼袁世凯檄文交蒙君（陆荣廷代表之一）携回备用。原李、钮诸君先拟有共和军，讨逆军之二名。讨逆军为冯将军(国璋)所反对，乃存护国军、共和军之二名，供首义者之选用"。

云南起义时，一些人曾倾向"共和军"和"讨逆军"的名称。后来李曰垓提出，袁世凯称帝是以日本帝国主义的支持为背景的，袁若失败，牵连对日作战也未可知。于是一致同意采纳吕天民拟议的名称，统一改称"护国军"。从此，"护国军"之名，即载入史册。

顾品珍严惩行贿犯

万揆一

1921年6月，滇军总司令官兼摄云南省长顾品珍，接到其兄顾品金转来的一封信，内附三千六百元银票。此信是省议会议员周渭、前任保山县知事陈本虞、路政局办事员吴树艺三人具名写的，要求省长就近委派他们出任县知事。

当时顾品珍上任不到两个月，突接此信，十分愤怒。当即把陈本虞等三人传到省长公署，申斥他们"胆大不法，干犯刑章"的行为。当众宣布把这三名行贿犯押送司法机关依法讯办。

当晚，顾品珍亲笔拟成训令，先引历史故实，指出"金来暮夜，为清白吏所诃，恩乞私室，亦强项令之耻。"接着申明，自己接任省长不久，业已表明"持己惟在一秉大公，用人决无他途干进；断不容蝇营狗苟之习，至我而尚留萌芽"的态度。因此，除把周渭等三人"注册取消，永不录用"，按律严办外，贿款则发交贫儿工厂、遗族教养所、同善堂等机构公用。

训令并下达政务厅，滇军总部各处，各旅、团、营，各道道尹，各县知事和行政委员，以及省内各机关，要求"转知所属一体遵照，务各引以为戒，共凛官箴"。

龙云暗助李宗仁

张廷勋

国民党于 1948 年 3 月 29 日至 5 月 1 日，在南京召开国民大会第一届代表大会，有选举总统、副总统的议程。总统宝座本无人与蒋介石竞争，为美化民主，特邀居正为总统候选人之一，陪蒋竞选。参加副总统角逐者则有李宗仁、孙科、程潜、于右任、莫德惠等。竞选活动相当热闹，南京一时“盛况”空前。礼花彩旗一色，关金选票齐飞，尤以李宗仁、孙科之争为烈，攻防各有妙法，胜负互显奇招。

此时，龙云被蒋介石软禁于南京，为尽地主之谊，他举行茶会欢迎云南省代表。一天下午四时半，一百二十多位云南代表欢聚于龙宅花园，忽报李宗仁将军到。李将军高兴地和代表一一握手致意，茶会旋即开始。龙云起立致欢迎词，先和代表畅叙阔别之情，即转入选举问题。龙云说：“总统非蒋公莫属，但参加副总统竞选者皆我党国元老，功在国家。各位代表大可不拘一格发挥民主精神。”所论立意遣词，简练轻快，字斟句酌，目标明确。说到“大可不拘一格发挥民主精神”几字，特别显得刚劲有力。虽对李宗仁只字未及，而与会者闻其声，观其行，自然心领神会，灵犀相通。会后咸谓：老主席巧思助阵，既稍解悒郁，又不着声象，李宗仁得实惠矣！

为贪官立遗臭碑

张维桢

云南自东汉以来，刻石竖碑，经世不绝。或述家谱身世，或记丰功伟绩，扬善增辉，好不光彩。惟有民国三十三年(1944)一月十日立于路南县民众教育馆内的《路南贪官许良安遗臭碑》，却别具一格，古今少有。碑文云：

“古无有为贪官立碑者，有之，自路南始。夫流芳遗臭，皆自人为，分道扬镳，亦各有别。……路南许良安者，实我邑空前绝后之贪官……自到任后，巧取豪夺，恣意挟持，窒息民生，借端敲磕。到县甫及半载，搜括已到数百万金，下乡流连二月，受害尽遍十三乡镇。……吾乡民风古朴，夙安耕作，从未有控官之恶习。兹迫于反动贪官淫秽之下，忍无可忍，不得已而激起全县一致控告。兹蒙上峰洞悉民隐，委员到县详查，该贪官所刮赃款，确实无虚，特予以撤换。然其在县一切卑污阴险劣迹，实有足以遗臭万年者，若不为之刊碑勒石，使垂永久，何以抒众愤而戒后人也！爰为之记。”

碑文还备述贪污事实，计有鲸吞田赋；违征酒税，苛罚酒户；下乡巡视，苛索旅费；借名查仓，进行勒索；征兵苛罚等五桩，共贪污“国币一百五十余万元，均系有凭有据。其他硬敲恶榨者尚未列入，其数尤多焉”。

路南乡民多为彝族同胞，一块遗臭碑，确实把贪官许良安搞得很臭，同时也反映了彝族同胞不畏强暴、敢于斗争的精神。

“对镜狂呼客”其人

道　远

谈到云南的白话小说，当以光绪三十三年(1907)“对镜狂呼客”写的侠男小说《金碧魂》为开山之作。那时云南革命党人和留日学生在孙中山先生的领导下，在东京创办了白话文刊物《滇话报》,几乎每期都有他的作品。他写的第一篇白话文传单是反对法国强修滇越铁路的《敬告吾滇父老兄弟书》,这是一篇慷慨激昂、淋漓痛快、鼓动性很强的檄文,传遍全省,震动很大。他写的《越南亡国史》,在《云南》杂志刊出后,被评为“最有价值的记载”。第一个改良滇戏的剧本《薛尔望投潭报国》,也是他写的,虽然是写清军入滇之前,昆明义士薛尔望举家投黑龙潭的故事,实际上旨在宣传反清革命。正当袁世凯登上大总统宝座之时,他写了一个小戏《骂殿》,在1912年5月16日的《滇南公报》上发表,大骂国贼袁世凯。此后他的反袁言论在云南报刊上不断出现,成为当时反袁的急先锋。他还以民间文艺的形式,写过通俗小曲《最新十二杯酒》,编过《金钱板》,还以讲善书的形式写过《说香山》等,算是最早的"旧瓶装新酒",其内容也是写反清和民主革命的新思想的。

清末民初的云南作家多用笔名发表作品,均难考其真名。但"对镜狂呼客"总算查清,此人真名夏绍曾,昆明人,生卒年月未详,清末留学越南,在巴维学校毕业,曾参加同盟会。辛亥革命后,在云南讲武堂任历史教员,杂著甚多,均未刊行,也未详其所终。

虚云和尚在云南

李 瑞

虚云和尚(1840—1959)号幻游,福建泉州人,是我国近代著名高僧。自十九岁出家,有九十余年佛教生涯。他走遍大江南北,去过西藏、台湾,远游东南亚诸国。他在云南度过二十多年，兴修佛寺甚多。

1904年，虚云应昆明筇竹寺梦佛和尚邀请，来昆讲经，又应云南提督张松林之聘，讲经于大理崇圣寺，后在鸡足山钵盂庵的破院住下。但这闻名于世的佛教圣地已残破不堪，虚云发愿重兴，而需款甚巨，便到马来亚、泰国、缅甸等国募集。在泰国曼谷讲经时，一日趺坐“入定”(佛教瑜珈气功)，九日不饮不食，不便不溲，哄动整个泰国，被国王请至宫中奉养。由此声名大噪，在东南亚募化所得财物，足足有三百多马驮，回云南后便用这笔巨款兴建鸡足山胜地。入民国后，祝圣寺建成，孙中山、袁世凯、蔡锷、梁启超等名人都为该寺题赠匾联。

民国七年(1918)，云南督军唐继尧邀请虚云来昆，一是为护国、靖国战争中死亡的将士做超度法事，一是准备在昆明兴建一大禅林。虚云在忠烈祠做完法事，唐继尧提议将圆通寺扩建为大丛林，虚云则认为西山华亭寺原址条件较好，应保护名胜，重新扩建，得到唐的同意与支持。这时虚云已是八十高龄，仍亲自主持该项工程。历时三年，华亭寺重建一新，成为金碧辉煌的名胜，唐继尧为之改名靖国云栖禅寺。

赵藩避乱护文献

万揆一

1927年6月，云南发生龙云与胡若愚等的争战，龙部三十八军由滇西反攻得手，7月25日攻进昆明城，一时战火蔓延，人心惶惶。

次日清晨，赵藩拎着一个包袱，从战争双方争夺要地的五华山下楚姚镇巷寓所，抱病来到翠湖北隅的省立云南图书馆。

包袱中并非细软家私，而是正待审定、编入《云南丛书》的一批前代滇人的诗文遗稿。赵藩深知前贤著作搜集不易，为了保护这批文献，不计个人安危，离开危险地带，转移到僻静的翠湖避乱。

当时赵藩为图书馆馆长和辑刻《云南丛书》处总纂，这两个机构都在翠湖。他到达那里，除了“丛书处”的编纂方树梅坚持留守外，其他职员都跑了，赵藩就暂住馆内。方树梅陪着他，继续进行编审工作，事后方还写过“六月下杪，介庵师携滇诗文丛稿避乱翠湖图书馆，昕夕侍坐，有作七律一首”以纪其事。

这是赵藩逝世前两个月的事。前贤于战乱中保护乡邦文献的精神，令人景仰。

闻一多蓄须明志

永　钟

1937年7月7日,卢沟桥事变,日本帝国主义发动全面侵华战争,中国大地烽烟腾起。北京大学、清华大学、南开大学三校先迁至长沙,联合组成“长沙临时大学”,后又迁至昆明,成立“西南联合大学”。

闻一多教授是一位著名的爱国诗人,看到国共合作,全国一致抗日,内心十分高兴,希望祖国抗战胜利,求得民族彻底解放。他又想到抗日战争必然是长时期的,要准备长期的艰苦奋斗。于是决心在随校赴昆明之前,就开始“蓄须”,表明自己的愿望和意志,不到抗战胜利不剃须。

当时学校安排两路出发,一路乘粤汉路火车取道香港、越南,由滇越铁路到昆明,一路组成“湘黔滇旅行团”步行到昆明。闻一多毅然参加旅行团。经过六十八天的长途跋涉,4月28日到昆明。整个抗日战争期间,闻一多无论在西南联大上课,在校内外讲演,参加学生爱国民主运动的示威游行,大家所看到的四十多岁的闻一多教授,都是颏下飘着长髯的“美髯公”。

1945年8月14日,日本无条件投降。时值暑假,闻一多在东郊麦地村清华研究所工作。次晨,大儿立鹤拿了一张“号外”赶来报信,进门就大叫:“爸爸,日本投降了!”闻一多惊喜得跳起来,接过报纸细细地看了,禁不住热泪盈眶。他马上跑到龙泉镇上一家理发店,对刚开门的老板说:“帮我把这胡子剃掉!”老板惊愕地说:“剃掉?太可惜了!”闻一多笑着说:“剃掉!抗战胜利,我要剃掉。”

闻一多剃了长髯赶进城来和家人、朋友欢庆胜利,只见到处张灯结彩,敲锣打鼓,鞭炮声响成一片。走到西仓坡联大教职员宿舍,同事、邻居见了都笑呵呵地说:“啊!闻先生剃了须,年轻多了!”一些小孩也嘻嘻哈哈地笑着向闻先生伸着大拇指说:“好!好!”

但是,也有人说闻一多:“剃得太早了,内战危机严重,和平尚无保证。”使他心里不觉一怔。

周钟岳打伞办公

远 之

抗日战争初期,周钟岳任国民政府内政部部长,住在重庆浮图关李家花园内的一所楼房上。重庆大轰炸后,园内很多房屋均受到不同程度的损坏。

一个阴雨天,我去拜访周老,只见他正伏案

批阅文件，秘书段贡元在旁撑着雨伞挡住屋顶上漏下来的雨水。见此情景,不禁愕然,一位堂堂部长竟打伞办公,实在出人意料。等他老人家进卧房休息后,我问段秘书:“老部长房内漏雨,你为什么不叫人来检修一下?”段秘书说:“部长不让我去叫。”我说:“你马上打电话给内政部管总务的先生,叫他立即派人来修。”段秘书照我说的办后,当天下午,内政部总务司便派工来把房子修好了。

事后我对周老说:“姻伯的房子漏了都不让人修,搞病了不好。”他说:“国难期间,一切从简,马虎一点,过得去也就算了。”像这样克己奉公的大员,是我生平碰到的第一位。

吴晗题诗独石山

陈蜀尧

路南县圭山尾则村长湖畔,有座独石山,悬岩绝壁,关隘险阻,形成易守难攻的天然堡垒。咸丰年间,当地撒尼族英雄赵发(赵官)聚众举事,于此扎营。清兵围攻数载未能得逞,不少官兵还被造反军歼追堵截、俘虏。抗日战争期间,西南联大迁昆明,吴晗、施蛰存同游石林、长湖,登独石山。听讲赵官的故事后,吴晗欣然题诗石壁上:

独石山上竖将旗，将军英名妇孺知。

我来已历沧桑劫，尤傍斜阳觅故碑。

民国二十七年二月义乌吴晗

原题毁于“文革”。1984年我游长湖，也曾登独石山，见石壁上的题诗斑迹剥蚀，显然是被人用石块砸过的，仍依稀可辨。

独石山，峰峦不足四平方丈。沟壑曲折，古木槎牙。藤萝密布，秘幻莫测。至今还保留了当年赵发摆兵布阵，坚壁据守时的藏兵室，瞭望台、迷魂路、石牢、闸门等军事遗址，以及粮库、水井、磨碾、碓舂等生活设施。

李岳嵩与罗炳辉

唐仿寅

李岳嵩(1903—1961)鹤庆甸南象眠村人，出身清寒农户，十三岁入福春恒商号为学徒，继任记账先生，后为周守正器重，从此一帆风顺，历任庆正裕及其联号复协和的上海、武汉、香港、缅甸等分号经理和昆明总号总经理。因少与同学黄洛峰深交，一直往还不断，推心置腹，于1938年夏秋间经周总理安排，由黄洛峰、楚图南等陪同，岳嵩接受罗炳辉重托，收养罗将军六岁幼女罗镇涛为养女，以便罗在皖东南开辟新根据地。

镇涛改姓李，岳嵩将其由武汉带到香港读小学，1942年携回昆明，继在昆就读中学。炳辉由于岳嵩为其抚育幼女，故常于信中向李告知其行止及作战状况。信中多用隐语，如："已到了某地，生意日益兴隆，马驮子逐渐增多，前途看涨"等等。

1940年10月起，国民党掀起第二次反共高潮。中国共产党为了维护统一战线，一致抗击日本帝国主义的侵略，下令将江南罗炳辉的皖南部队集中江北。

皖南事变后，《新华日报》发布事变新闻和总理的十六字题词后，岳嵩义愤填膺，乃不计利害，冒险买了两百多箱曲焕章百宝丹(云南白药，对医治刀枪伤颇富效力)，速运香港，托人发交罗炳辉将军，曾医好不少伤员。

蒲德列殉职金沙江

沈　沉

1939年，我在《云南日报》任记者时，编辑刘惠之先生还兼任西南运输处的图书管理员。有一天，他告诉我，该处派了一个工作人员，随同国际联盟派来的水利专家和中央经济部资源委员会派出的一个技士，一起驾船去考察金沙江的开发和航运，听说此三人勘探时失踪了，目前生死不明。他要我去采访一下经过。

我听了他的介绍，便邀同报社另一记者沙德珍，同到翠湖大酒店探访。时国联外籍专家小组寓居于此，沙德珍熟悉法文，找到小组里的一个法国人访问。他告诉我们，失踪的是荷兰籍水利专家，名叫蒲德列，来到中国已经八年，曾在黄河流域协助各省地方当局工作，成绩卓著。碰巧他出发前，曾送了一张照片给这位法国人，他很爽快的找来借给我们。

但其他两人是谁，他们生死是否有了下落，还得继续深入追询。我访问了西南运输处的负责人，始知该处派去的是运输研究委员会委员胡运洲。为查明经济部资源委员会失踪的人，我找到了资委会在滇负责人章元善。据他告知，资委会派去的人名张炯。他们所乘的一只小木船已被发现，船身已破碎，至于遇难者的尸体，现仅发现两具，经检验，其中一具即荷兰人蒲德列。讲完情况，就将他收到的船身及尸体照片，连同张炯的半身照，一并借给我。这样，就由《云南日报》独家进行了报道，有图有文，使他报记者为之一惊。

1939 年 6 月 24 日，由云南省政府主席龙云主持，为蒲德列举行追悼会，经济部部长翁文灏寄来祭文，国联代表杜鲁、国联派驻中国的顾问穆和、荷兰政府代表万和佛等分别致悼词。龙云致词时说：“……蒲德列先生在扬子江及其他各大河流域，均曾躬自查勘，对我国的水利工程贡

献甚大……，蒲先生在金沙江上工作，历经险阻，不幸行抵会(泽)巧(家)交界的老君滩，舟破殉职。噩耗传来，莫不哀悼……，今日为各代表追悼蒲先生之期，以其人格与服务精神，实堪为吾人之模范。他虽死了，而其精神常存于天地之间……”

追悼会后，蒲德列夫人来昆运榇回国，榇上写着：“蒲德列，1901 年生于荷兰海牙，1939 年 5 月 11 日故于中国云南老君滩。”

徐悲鸿感时书联

陈蜀尧

徐悲鸿旅滇期间，应留法时好友、云南大学校长熊庆来之请，作画义卖，为熊校长家乡弥勒县修建城南之三孔石桥捐资。实业家卢裕明以重金购画襄此义举。徐悲鸿念及卢先生慷慨解囊，写对联一副相送，联云：“岂有蛟龙愁失水，只磨故剑向青天。”(此联现在周赤萍处)周颖南在香港出版的《书谱》上曾发表《徐悲鸿广西试笔》一文，提及此联是 1937 年秋徐悲鸿在广西所作，随身携带，最后留在星洲。可见徐氏撰写此联，乃感时言志之作，不只书写一次。

黄钰生挽闻一多联

王 云

1946年7月15日，闻一多先生被暴徒狙击殒命，西南联大成立闻一多教授丧葬抚恤委员会，聘请黄钰生、贺麟、雷海宗、沈履、查良钊为委员，黄钰生为该会主席，办理丧葬抚恤事宜。黄钰生为人正直，时任联大师范学院院长，和闻先生同是湖北人。1938年初，一同与“长沙联大湘黔滇步行团”从长沙步行到昆明，两人交情深厚。一多先生牺牲后，他写了一副情感动人的挽联。联云：

茫茫人海，同乡、同学、同事，同步行三千里，回首当年伤永诀！

莽莽神州，论学、论品、论文，论豪气十万丈，横视人间有几人？

友情之笃，评骘之确，读之令人感奋。原件存青岛海洋大学一多楼，该校前身是青岛大学，闻先生曾在其中执教。

王云五轶事

周善甫

1948 年春，我赴南京出席“国代会”。会后，移居供职南京政府的乡先辈李伯英先生府上，拟作短期游览。

一个星期天，李老夫妇驱车陪我晋谒中山陵。午后，游到谭坟，行礼之后，便坐香亭小憩。

忽然，随着一阵喧笑，亭畔幼柏林间的茸茸草地上，连爬带滚，钻出位只穿着件白汗衫的胖老头，接着追上来两个小孩，扑上已经仰面躺着的老头身上，嘻嘻哈哈地闹做一团。

当我正被这和乐的景象所吸引时，李老却急忙起身，走下亭子，亲切地向老头打招呼。老头爬将起来，拂去身上枯草，朗然答礼。两人随即携手有说有笑地走进亭子。

经过介绍，我才讶然于这位平凡的老头，竟是当时的行政院长、著名学者王云五先生。他从一名排字徒工开头，经由个人努力，一步步升迁到国家总揆。对他发明的“四角号码”和他所总纂的《万有文库》，我这嗜读的边民仰慕已久。现在居然有幸亲接风采，一时特感欣幸，而紧紧握住他善意地伸过来的手。

他了解到我是一名边地来的年轻“代表”，

便也表示亲切，大家就在亭子里坐下漫谈。记得两位长者谈到当时西康发生的某些民族纷争，王老深深感叹边地问题的难于着力。我于云南邻境发生的这些事象，倒也不乏了解，便情不自禁地插言："边地有啥问题?问题在中央!"这样顶撞的话，李老一听，便对我蹙眉示意，而王老却坦然认可说："对，在中央，也在四川。"这下，我更放胆了，再逼上一句："四川问题的根源又何在呢?"他稍一沉思，便断然说："是在中央，全在中央。"接着我们就一无禁忌地开始高谈阔论，几乎忘却在座的是一位主持国政的行政院长。

马连良拜会栗成之

陈起麟

1949年10月初，京剧名角马连良，应昆明市长曾恕怀邀请，由香港乘飞机来昆献艺。随机同来的有著名须生言菊朋之子言少朋和名小生储金鹏等。登台演出之前，马连良先拜会了一些头面人物和云社、华社等票房，还约同言少朋特意拜见了滇剧著名须生栗成之。

马一见栗便说："我在香港就听到栗先生演唱滇戏，唱做念打均达炉火纯青之境，我曾听过栗先生的唱片，如《七星灯》、《捉放曹》等段，字正腔圆、音韵准确，实非朝夕之功，不愧滇戏泰

斗，此次有机会来昆，得拜见栗先生以慰慕念，实为幸事。”栗成之说：“马先生给我的称赞，愧煞老朽，我怎能和您相比？马先生乃赫赫有名的京剧须生泰斗，我算何等之辈，敢受此赞语！”两人一见如故，互谈彼此擅演剧目，虽剧种不同，而所扮角色十有九同，更是互相敬佩。

马在栗处，环顾四壁，见挂有一些名人送的字画，其中有一横幅是“此曲只应天上有，人间能得几回闻”，下署小字为“张伯苓、蒋梦麟、梅贻琦奉长西南联大校委，有幸来昆，得睹栗君成之之精湛表演，聆韵浓悦耳之唱腔，实为一快事”云云。另有名画家张正宇为栗成之速写的一幅肖像，云南大学教授刘文典送的直幅、陶光教授送的镜屏。马连良看了这些屏幅后说：“可见栗先生身价之高。”又看到挂着的两张放大的戏照，一张是和名旦张吟梅合照的《韩琦杀庙》，栗成之扮演韩琦，张吟梅演秦香莲；另一张《醉写吓蛮》，栗扮李太白。马连良看了之后问栗成之：“还善演武生？”栗成之说：“这是四十岁时的戏照，今年我已六十八岁了，武戏没精力演了。”便回问马先生今年几岁，马答四十八岁，栗接着说：“我痴长马先生二十岁。”

最后马连良说，在他正式演出时，每晚送上两张戏票，请栗光临指教。栗表示一定去欣赏受益。

马连良在云南大戏院上演时，栗成之亲自送上一帖直幅，上写“北斗南来”，以表敬仰之情。

被遗忘的高僧

杨修品

弘一法师,名播海内,其师兄为昆明筇竹寺之弘伞法师,则知者盖寡。

弘伞法师者,安徽人,早年从军,曾任显职,有言省主席者,有言督军者,有言司令、军长者,传说不一,出家人不言以往,故世人不详。后竟不知何故,离开娇妻爱子,遁入空门,究其缘故,至今迷离不解。

弘一法师曾在杭州招贤寺任住持,日本佛界名僧曾请其讲经,特设檀香木莲台以供其座。《名僧录·弘一法师传》中曾提及他介绍弟子拜访弘伞法师,继续深造云云,可见弘伞法师对佛学的造诣,惜《名僧录》中竟无专篇。

笔者曾在筇竹寺寒香阁,初遇弘伞法师,鹤发童颜,精神矍铄,与书家李广平聊天,有哲理,有情趣。后数月,复见法师于寒香阁,谈及抗日战争中,寺庙都住满伤兵与难民,余忽插一语:“寺院乃清净之地,当中若有产妇,则未必接纳。”法师未正面回答曰:“出家人之职责,乃救苦救难,妇女分娩之地,和尚住之亦何妨。心中无物,何秽之有?诵经,正可转移其精神,减轻其痛苦,此乃诵经之根本。”

筇竹寺里，群少曾围而问询，此为何佛，彼为何佛，弘伞法师答曰："一团泥巴耳！"佛界人士闻之，真谛也，常人闻之，破除迷信也，法师之答，妙极。

后不久，法师坐于藤椅，久久不动，僧人呼之吃饭，仍不动，方知已圆寂矣。

弘一法师为文人，弘伞法师为武人。弘一以诗、书、画、乐名世，足迹遍江浙，名画家丰子恺即其弟子，故名闻遐迩。弘伞法师无作品留世，弟子中无享大名者，又旅居边陲，遂为世人所遗忘。

自学成才的科学家

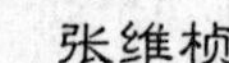

张维桢

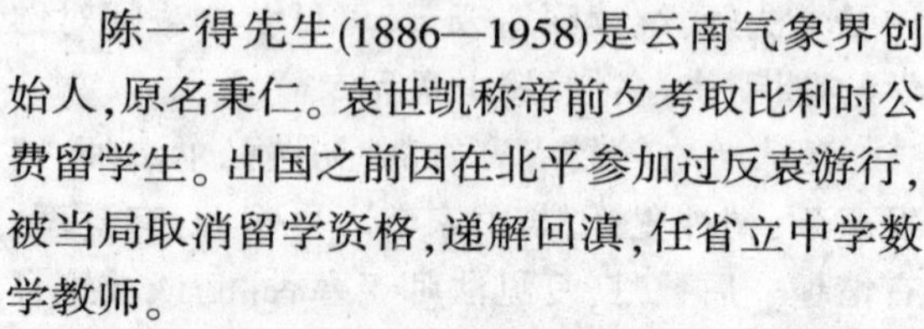

陈一得先生(1886—1958)是云南气象界创始人，原名秉仁。袁世凯称帝前夕考取比利时公费留学生。出国之前因在北平参加过反袁游行，被当局取消留学资格，递解回滇，任省立中学数学教师。

观察天象，预测气候是他的爱好。民国十四年(1925)他在昆明钱局街八十三号本家内设立了一个十分简陋的"一得测候所"，在他妻子刘德芳的帮助下，认真观测研究天文气象。有一次，他根据自己的研究结果作了一次地震预报，可惜不准确，之后，妇孺见他就讥笑："看，这就是地震老爹，害得我们白白露宿两昼夜。”陈一得先生毫不气馁，吸取失败教训。后来亲到日本考察地震研究及设备，受益匪浅。先后写下了《滇西地震带》、《昆明气候长期预报的可能性》等数十篇科学著作，为发展云南的天文、地震、气象事业打下了坚实的基础。

他在给友人的信中写道：“科学工作至为艰巨，专门从事科学工作者，要不惜牺牲一切，精神物质享受，皆非所计，故聪明人多不愿作。有愿作者，亦多借为晋升之阶，猎取名利，若真以科学为终身事业者，必带几分傻气，虽常被人窃笑所不顾。秉仁生性愚拙，字号一得，即取愚者千虑必有一得之意。二十余年来，私立一得测候所，创设了省立太华山气象台，从事科学教育四十多年，今虽老病，仍未敢稍懈。”足以见其胸襟。

其实，陈一得先生在他七十二年的人生旅途中是既有多虑，更有多得的。

彭勤登台骂贪官

以　明

彭勤，昭通人，云南讲武堂毕业生，抗战时期在滇军第一八二师任职，参加台儿庄战役抗击日寇负伤后，返里为民。

彭氏精通武术，清贫廉洁，怜贫惜苦，扶危

济困。对贪官污吏、土豪劣绅、嫉恶如仇，恨之入骨，若街头相遇，必当众责骂，如有抗拒，则老拳教训。专员王凤瑞，县长汤祚等要出街，得先派人查明彭的行踪，以避斥责。

官员们常去看京戏，彭发现这是骂贪官的好场所，一夜去到戏院，跃上戏台，叫暂停演戏。彭声色俱厉历数某官如何贪污，某官如何敲诈，某官如何凶残，某官如何卑劣……，骂得狗血淋头。所指者都是群众深恶痛绝，敢怒不敢言者。自此，彭每二三日必去骂官一次，这场精彩节目，比看《击鼓骂曹》、《打严嵩》等更现实、更痛快，不看戏的人也爱去听彭勤骂贪官，一泄愤懑。

1945 年底，专员收买地方恶棍，乘彭酒醉，将彭捆绑后关入监狱，特制牢笼，残酷折磨，以作报复，直至建国后始获出狱。彭率家人磨豆花出卖为生，安贫乐道，其后出任历届昭通县政协委员。1979 年彭病故，年八十一岁，送葬者千余人，可知民意矣。

石达开咏咂酒诗

贺以明

云南昭通、四川凉山和黔西一带的彝族，凡婚娶喜庆年节，常宴请宾客，均饮“咂酒”。此酒以杂粮酿制，藏于坛中，饮用时加入凉水，插入数支长约一米的细竹管，以长幼为序，先后衔竹管吸饮，故谓“咂酒”。

同治二年(1863)初，太平天国翼王石达开率军从黔西过昭通，经巧家渡金沙江入川西时，当地彝族头人宴请翼王，即敬以咂酒。这种特殊的礼仪，翼王颇觉有趣，即席赋诗云：

万颗明珠一瓮收，君王到此也低头，

五龙抱住擎天柱，吸得长江水倒流。

云南讲武堂的校歌

李成森

云南陆军讲武堂始建于 1909 年 8 月，曾为中国民主革命造就了大批人才。李根源《雪生年录》中录有该校校歌，爱国主义精神洋溢于全部歌词中：

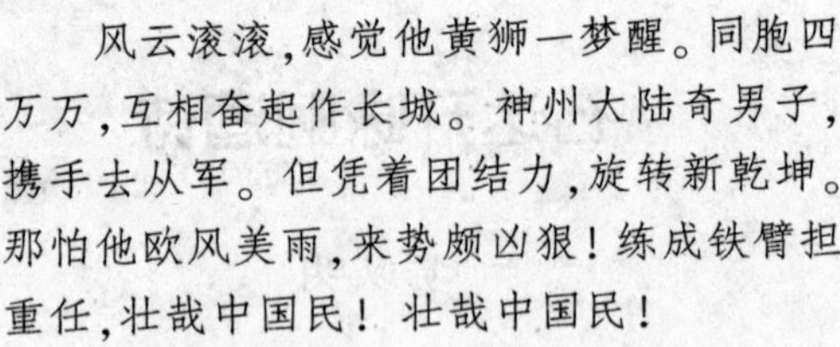

风云滚滚，感觉他黄狮一梦醒。同胞四万万，互相奋起作长城。神州大陆奇男子，携手去从军。但凭着团结力，旋转新乾坤。那怕他欧风美雨，来势颇凶狠！练成铁臂担重任，壮哉中国民！壮哉中国民！

中国男儿！中国男儿！要凭双手撑住苍穹。睡狮昨天，醒狮今日，一夫振臂万夫雄。长江大河，亚洲之东，翘首昆仑，风虎云龙，泱泱大国，取多用宏。黄帝之裔神明胄，天骄子，红日正当中。

诗坛耆宿写军歌

赵和甫

1918年,赵藩受唐继尧之委托,代表云南出任广东政务委员会代总裁,继又兼军政府交通部长。在粤两年,致力擘划交通建设,尽力促成南北和议,还苦心协调西南各省关系。

赵藩是诗坛耆宿,留居羊城,政务之余,常与"南社"诗人高旭(天梅)、邓万岁(尔雅)、蔡守(哲夫)、黄宾虹(质)等交往唱和,并被推举为"南社"名誉社长。

1920年,老人为鼓舞滇军士气,发扬滇军光荣传统,特为滇军谱写一曲军歌传唱军中。军歌步岳武穆《满江红》韵,歌词为:

剑佩雄冠,男儿志,昂藏不歇。凭半壁,涤腥湔垢,浩然义烈。金马腾空开宿雾,碧鸡叫梦醒明月。又两番,推倒段和袁,抒诚切。

老松干,耐朔雪;坚金质,难磨灭。荦苍山巨石,补完天缺。尺组终拴默啜头,寸丹不化苌弘血。大中华,璀璨彩云笼,开宫阙。

运笔失手成画眼

陈蜀尧

军需刘某延名厨作馔在公馆宴请徐悲鸿，席间请徐作画，徐当即伸纸濡笔画水牛。挥洒中笔墨淋漓，不慎滴了一墨点于牛尾上方的空白处，只见他笑笑，凝思片刻，灵机一动，随即将牛尾巴往墨点方向甩去，墨点好像从牛尾巴刚甩出去似的，妙不可言。这意外的一着成了“画眼”，不仅掩盖了笔误，反而使画面更活了。题款为“悲鸿画泥牛”。一个“泥”字，恰令人联想到那个墨点是刚从牛尾甩出去的一个泥点，款与画相得益彰，四座惊起，成为佳话。

李根源的一首题画诗

张苇研

1941 年我在桂林的广西省政府卫生处供职，认识青年画家龙敏功。他画得一手好山水，可惜他耳聋，但很聪颖，因之号“重耳”。后来宋吟可、阳太阳、沈觐寿、龙敏功和我成立“桂林漓波画社”,并联合开过多次画展,颇得当时赞誉。龙家是桂林望族,龙敏功的祖父龙积之先生是老同盟会会员,其父龙潜亦工山水,饮誉中外。一日敏功画就一张山水,其父为他润色,此时李根源先生驾临,龙积之先生即请李老题诗。李老徘徊一下,口含一支烟,提笔一挥而就。诗曰:

云林山水古来稀,父子临摹更足奇,
头白老人应一笑,拈须回忆抱孙时。

诗思敏捷,公孙三代均入画幅题诗,一时传为佳话。此画后来由张发奎将军购得。

刘文典题诗赠滇伶

任道远

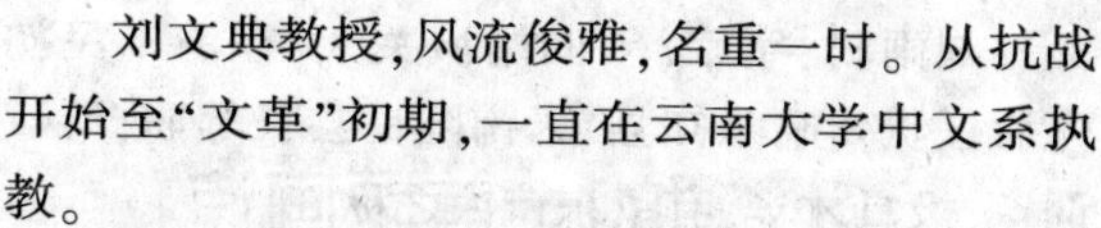

刘文典教授,风流俊雅,名重一时。从抗战开始至“文革”初期,一直在云南大学中文系执教。

他在昆明时的最大爱好是滇剧。1947年,昆明广播电台为庆祝抗日胜利二周年举办的滇剧名伶演唱会上,刘氏首先致词讲述戏坛之演变,对滇剧推崇备至。他说:“真正能保持中国之正统者,惟有滇戏。希望爱护东方艺术者,有以提倡之。”他不但这样说,且能付诸行动,他几乎每天晚上都泡在滇剧场中。光华剧场的头排两个座位被他常年包下,届时风雨无阻,偕夫人每晚必到。尤对著名须生栗成之的演唱艺术极为倾倒，曾誉为“云南叫天”，并赠以诗：“檀板讴歌意蓄然，伊凉难唱艳阳天。飘零白发同悲慨，省食憔悴李龟年。”当年的栗成之每晚要赶演两三剧场，生活清苦，令人同情。

刘文典还写了《送彭郎》一诗，赠给坤角老生彭国珍，诗云：“六诏歌声动地来，彭郎芳誉满蓬莱。升庵老去风情减，难到昆明话劫灰。”刘氏还写过一些题咏诗分赠各演员，多未发表，若认真搜集，总在十首以上。

刘雨村自题像赞

赵宏逵

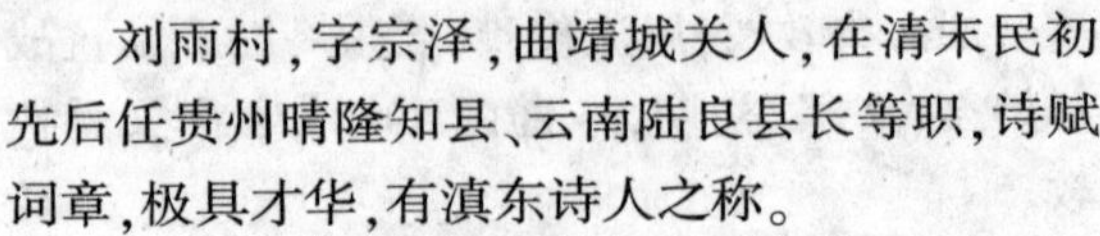

刘雨村，字宗泽，曲靖城关人，在清末民初先后任贵州晴隆知县、云南陆良县长等职，诗赋词章，极具才华，有滇东诗人之称。

他生平慕包拯之为人，刚正不阿，清风亮节。晚年穷困，身无片瓦之地，友人孙光庭借屋一间与之栖息。刘撰门联一副云：

老骥伏枥，志在千里；

好鸟求友，栖借一枝。

民国二十一年(1932)，雨村七十大寿，其亲友门生齐集祝寿，有人替他画了一幅坐像相送。刘自作像赞曰：

老刘老刘，老白了头。为官三十余载，只剩一领破裘。有时典去沽酒，也还自诩风流。所愧为民父母，未能为民解忧。惟不取有造孽钱，免为儿孙作马牛，空手而来空手去，所以对天复何求。

巧对腾冲叠水联

李建恩

腾冲有一瀑布，当地人称之为“叠水”。昔时，有文人题上联云：“叠水如棉，不用弓弹花自散”，拟征下联，久久未得。

宾川县宾居乡人李宝镗出任该县乡村师范学校校长，年仅二十余岁，教职员多有以其年轻而心不服者。有一腾冲籍的国文老教员，乃以此上联，戏请李宝镗三日内对出下联，李苦思两天未获佳句。第三天午后，李骑马返回宾居，时值阵雨初晴，将至家门，猛一抬头，见晴空如洗，远山叠翠，近野含芳。触景生情，马背上顿得下联：“远山若黛，未经笔绘翠偏浓。”喜不自胜，纵马加鞭返校，如期交卷。老教员又惊又喜，敬佩不已，遂结忘年之交，校中对李之微词亦平息。后老教员将此下联寄回原籍，腾冲人士乃将此联刻于叠水旁之小亭上，颇受后人称道。

大词戏起源一说

黄　林

流行于云南维西县的大词戏，因所演剧目多为《目莲救母》、《精忠说岳》等慈善内容，亦称大慈戏，惟音同而字异，其起源与道士活动有关。

据世居鹤庆的高龄道长陶蠡称：在鹤庆的陶姓祖籍是山西平阳府(今临汾)，是祖传的火居道士，祖辈曾历任道长，自称陶渊明的后裔，且有道光五年(1825)姑洗月成书的《陶氏族谱》木刻本可凭，谱中确有陶渊明的画像和记载。

明初洪武间，山西陶氏家族中的陶耐先被征集到云南大理尉鹤庆右所军中服役，同族中的陶怡、陶老哥、陶八珍等七人亦随之入滇。其中陶耐先辈分最高，是陶氏家族到云南的始祖，推算起来传至陶蠡已是第二十二代，他已有重孙，已是第二十五代了。

清代，鹤庆陶氏家族中的第十八代子孙陶凯被任命为维西协台协都垦。陶凯笃信道教，本人又是道士，他在任职期间传播道教，每届祭日或超度亡灵、还愿，都要大摆道场。前述大词戏，就是在道教“祭夫科”(即斋醮科仪)基础上衍变而来，准确的名称应该是“道词戏”而非大词戏。

历时最长的雷家班

龙　年

清末昆明有个戏班叫雷家班，是从曲靖来的，前后经历了四百多年的历史。

明代，湖北麻城县孝感乡有一个戏班，叫“祁川班”，班主姓雷。到明代后期，班主雷乾元率班移居四川重庆长寿县。清初再南迁，进入贵州。雷家后人雷应文带班在贵定、安顺等地巡回演出，最后进入云南。乾隆以后定居于曲靖，并在城内购置了房产。

雷应文死于嘉庆二十五年（1820），生有万春、鸣春、开春、发春四子。万春、鸣春曾于道光三年(1823)率班到昆明演出，不幸双双染上瘟疫，万春死于昆明，鸣春回曲靖亦亡。数年间，雷家屡遭变故，开春削发出家，只剩下刚满十六岁的发春，他为了继承父兄遗志，变卖了家产，用所得银两重置行头，再组戏班，开始演出滇剧。

咸、同年间，雷家有个雷振风，人称“雷四苗子”，工文武老生，传授徒弟甚多，著名的有李少白、朱岐山、刘金玉(旦)等。后来曲靖滇剧界都称雷振风为“戏王菩萨”，称他的班子为“雷四本家”。他除戏曲外，又精于武术、草医，曾培养出不少武举人。

光绪年间，雷家班与刘金玉等人的班子合成泰洪班，演出于昆明、滇西、滇南等地。云南滇剧界的多数著名艺人，多出自雷家班。

到民国年间，雷家后人还有雷补弟(艺名粉牡丹)、四聋子(在昆明“群舞台”管衣箱)等。至此，这个老戏班已一直延续了四百多年。

吴继兰演唱作画

石阡

吴继兰是民初京剧名坤角，曾从名旦王瑶卿学艺。在我国第一部有声戏曲片《四郎探母》中，与谭富英、雪艳琴等名伶配演四夫人一角。

1937年1月，吴继兰应金碧游艺园经理展秀山邀请，到昆明献艺。以《御碑亭》、《宇宙锋》、《鸿鸾禧》等剧赢得观众的赞赏。

吴继兰除擅长京剧艺术外，对书画也有造诣。在《冯小青》一剧中，她当场写诗，在连台本戏《再生缘》中，她边唱边画，唱完，一幅具有神韵的水墨兰花也就画成了。

抗日初期，吴继兰热情响应捐献支前。她不仅参加募捐演出，还当场写字作画，进行义卖。顾视高先生得其兰花一幅，裱为立轴，遍请名家题咏。原滇黔绥署总参谋长廖行超乃云南词人，曾填有《南乡子——仰山先生出所藏吴继兰画

兰之轴嘱题》一首，有“翠袖时萦芳草梦，神伤，哀怨余音尚绕梁”之句。

曹寿春卖剧本捐献

石 阡

京剧丑行艺人曹寿春，1937 年 1 月来昆，在金碧游艺园新兴大舞台献艺，饰《女起解》中的崇公道一角，受到昆明观众的赞誉。还有《顶花砖》、《拾黄金》等剧，也受欢迎。

同年 7 月，卢沟桥事件爆发，抗日战争全面展开。昆明进行壮丁训练，曹寿春也积极参加。

1938 年，云南抗敌后援会举办征募寒衣活动，各界人士纷纷解囊捐金。曹寿春生方想法，贡献绵薄之力。他身无分文，但过去他编印过的《拾黄金》、《百子图》等京戏剧本，尚剩二百多册，乃委托戏院场务人员代为售卖。观众得知曹寿春为支援前线而售卖自己编印的剧本，互相传告，纷纷购买，二百册剧本很快就卖完了。

11 月 7 日，曹寿春带上卖书所得的二百元钱(按官方定价，可购棉衣二十件)，亲到抗敌后援会全部捐献，以表爱国心意。

"神丑"王树萱

虞　专

王树萱(1877—1947),原名马才顺,昆明顺城街回族,十岁拜王辅臣学唱老生,随师改姓王。他的唱功、扮相都不错,但一上台就会把观众逗笑。有人劝他改学丑角,他依言改习丑角,后果一举成名。

他从清末登台,参加过不少班社。民国五年(1916)搭班群舞台,兼任内台管事。他的戏,出口诙谐而语言文明,表演自然,毫无庸俗丑态,通过幽默、辛辣的艺术手段,创造了众多的喜剧人物形象,给人以美的感受。他的看家戏很多,如《滚灯》、《海潮珠》、《祭棒槌》、《裁缝偷布》等,各具特色,各有绝招。曾作过内廷供奉的京剧武生李春廷说:他跑遍全国,像王树萱这样的丑角是少见的。王树萱因此曾获得"神丑"的雅号。

王树萱身高一米六七,但演起《滚灯》来,头顶灯碗要在板凳上磨三转,下凳后要钻三次板凳,最后还要把顶着的灯吹熄,无怪戏剧家田汉赞他是"拙中见巧"。在《杨广逼宫》中,他饰杨广。当他把玉玺弄到手后,得意忘形,头上两道翎子耍得花样百出。他在《收癞龙》中的绝招更是惊人,靠旗是系在臀部,一抖能把它一支支收裹起来，再一抖又能把它散开……这些功夫实在来之不易，直到老年，吃饭前还要练上一番。

王树萱为人正派，品德高尚。抗日战争爆发后，新滇大戏院遭日机轰炸，艺人颠沛流离。后来王树萱搭周锦堂的班到大理演出，死在下关。

许氏木偶戏班

雷宏安

民初，在曲靖、陆良、沾益一带木偶戏盛行，尤以越州许氏木偶戏班最受欢迎，演出分会戏和愿戏两种。会戏是专在庙会期间演出，节目以神话传说为主；愿戏是应邀演出，节目以喜庆热闹为主。许氏木偶戏班有二百多年的历史，至许光斗、许开明、许光法一代，家有上百个生旦净末丑木偶。每个长约五十余厘米，画上脸谱，穿上小型戏装，精巧别致。戏班有三十多人，既能耍木偶，又能唱连台大戏。演时用胡琴、月琴、笛子、唢呐、锣鼓伴奏。有《南天门》、《白蛇传》、《闹天宫》、《武松打虎》、《取荆州》、《借东风》、《五台会兄》、《单刀会》、《长坂坡》等上百个剧目。演出之前要杀鸡祭祀“戏王菩萨”，开场先由花脸扮灵官出场“镇台”，演完还由灵官“扫台谢幕”，恭请“戏王菩萨”归位。许氏木偶戏班巡演滇东各县，也曾到昆明演出，均获好评。

赵君玉晚境凄凉

贺以明

著名京剧演员赵君玉(1894—1943),初名赵云麟,祖籍安徽,生于上海。初习花脸,艺名大大奎官。后改小生,始名君玉,长期与名旦冯子和配演小生,后又改演旦角。早年曾与谭鑫培、梅兰芳等合演,声誉益隆。君玉善取各家之长,南派戏宗冯子和,北派戏宗梅兰芳,均能曲尽传神。1922年在上海新舞台演出时装戏《阎瑞生》,连满八十多场,曾轰动一时,几次赴北平献演,均载誉归。因与京剧名角梅兰芳、周信芳、刘奎官等八名伶同年(生于1894年),时称“八骏马”之一。

抗战军兴,赵于1939年辗转来昆明,所演花旦、武旦戏很受欢迎。后为新生大戏院主演,名噪一时。1940年11月应邀与周福珊等率班赴昭通演出,深受好评。后因吸鸦片成瘾,体力日衰,几至不能登台,贫病潦倒,1943年病殁于剧团,年仅四十九岁。艺人捐助,备棺掩埋,一代名伶,晚境可悲!

《孔雀胆》的“归宁”

龙显球

抗战后期，一些电影明星如王人美、金焰等长期住在重庆，没有拍片和演出。事为久驻昆明经营影片发行业务的王晋笙所获悉，就建议空军部队办的大鹏剧社邀请这批影人来昆演剧，同时函邀王人美等人来昆。王人美等组成影人剧社，来昆后排演了郭沫若的《孔雀胆》。

1944年10月25日起，《孔雀胆》在昆明大光明戏院(今星火剧院)正式公演。演出阵容极强，由章泯担任导演，王人美饰阿盖公主，陶金饰段功，王斑饰梁王，傅惠珍饰王妃，配搭很硬，演技高超。特别是王人美和陶金刻画人物性格深刻，表情真挚动人。演到段功遇刺和阿盖饮鸩时，全场寂静，隐约有抽泣声，演出效果很好，观众踊跃，连满二十多场。为了满足观众的要求，又续演五场。听说，远在大理的段功后人曾专程来昆观看，并到后台向主演和导演致谢。

在演出期间，演员们为了熟悉剧情和环境，曾到东寺塔一带参观访问，凭吊通济桥等遗址。郭老听到演出成功，欣然写了《孔雀胆的归宁》一稿寄到昆明报刊上发表，各报还刊载了很多剧评文章，顿成一时之盛。

时隔不久，影人剧社的原班人马，又应昆明国防剧社之邀，于1945年1月间在昆演出了《天国春秋》，王人美饰洪宣娇，王斑饰杨秀清，表演认真，演出盛况不亚于《孔雀胆》。

元碑所记的云南画家

王　云

在大理五华楼发现的《追为亡人大师李珠庆神道》碑刻中，载有元代大理画家李珠庆的祖辈李昇，“研精绘事，兀良八合请画中□”。还称至正十六年(1356)李珠庆“写穷天竺梵书，每应檀越之诚心，常演琅琀之妙义。占卜有准，符篆通灵，吏案识取”。说明李珠庆是具有多方面文化素养的佛教大师，也精于绘画：“(上阙)摩诘，丹青并譽于黄筌。遐迩请求，官民敬仰。元帅段镇国(段功)请龙顶山佛像，以德持囹藏、弘圣二刹，迁赐僧首。品甸赛因达南大王请金龙山，启稟(下阙)多其墨迹。”作者赞扬李珠庆，把他和著名画家唐代王维(字摩诘)、五代后蜀黄筌相比。虽叙述简略，珠庆及其祖辈的作品也未见留存，但从中亦可窥知宋元时期大理绘画之渊源。

李根源摹刻秦权铭

丕　玉

在抗战前，上海艺苑真赏社曾影印出版过一本《秦权诏版》,内有秦始皇二十六年权铭和秦二世诏版等拓片,其中以权铭最大,高48厘米,宽35厘米,系朱拓作折叠插页装入,其文曰:“廿六年,皇帝尽并兼天下诸侯,黔首大安,立号为皇帝,乃诏丞相状绾,法度量,则不一歉疑者,皆明一之。”字为秦篆,是秦始皇统一天下度量的诏书,斑烂泐蚀,古气盎然。

其实这不是原铭，而是腾冲李根源先生寓居苏州时好玩金石,将秦权铭文拓片照相放大,然后又由工匠摹刻石上。这块石面呈长方形,高66厘米,宽59厘米,秦权铭文刻于右下方,周围刻有题跋,权铭前有清道人李瑞清的篆书“秦量刻辞”四字,下书戊午(1918)四月;权铭上方有曾熙、孙光庭二跋;权铭左侧有章炳麟、于右任二跋,均书民国十三年或甲子(1924)年;石上还刻有印章,文曰“吴郡孙仲渊摹”,疑是摹刻工匠,足见这是翻刻之物,而艺苑真赏社却略去题跋,改用朱拓,以石刻冒充铜铸。秦权本为衡器,其用途和砝码相似,既有如此巨大的权铭,其权重量将有几百公斤,古代哪有偌大的秦权?

云南最早的书画展

龙　仙

民国十四年(1925)昆明曾举办过一次别开生面的《滇中书画展览会》，主办者不是官方，也不是什么协会，而是由云南文化界的名流和书画家赵藩、陈荣昌、袁嘉谷、周钟岳、秦瑞堂、由云龙、吴石生、赵星海、方树梅、何筱泉等联合发起。展品不收今人新作，专集明清两代滇人的书画作品。征集办法是各出所藏，登报征求和派人分访，言明展后奉还，并致酬金。共收作品五百多件，国画占三分之一，书法占三分之二。书法有明代四朝元老杨一清的行草、兵部尚书傅宗龙的草书、刑部主事陶珽的行书、姚安土司高奣映的行草、清代浙江巡抚赵士麟的行楷、大理寺少卿周于礼的行书、河南知府张汉的行草、先后曾任湘鄂闽三省巡抚李因培的行楷、通政司副使钱南园的楷草、礼部侍部尹壮图的草书、御史谷际岐的行草、礼部尚书朱嶟的草书、刑部尚书赵光的正书、湖南巡抚刘昆的行书……画有担当和尚的山水和人物、果成和尚的兰草、钱南园的瘦马、女画家缪嘉蕙的花鸟、居京高僧堪福的书画篆刻等等，举凡滇人在外地为官供职者的名迹均收罗

无遗。自展出后,观赏者甚多,一再延长展期。主办者感到名作甚多,收集不易,乃将展品摄成照片,从中精选一批原作,由赵藩、陈荣昌、袁嘉谷、李根源等分别鉴定题跋,编成《滇人书画集》二十集。第一——十三集为书法,第十四——二十集为国画,由李根源等携稿本赴南京、上海,又请章太炎、章士钊、于右任等名家鉴定题跋,并与张元济先生谈妥,交由上海商务印书馆以珂罗版印行。正拟制版排印之际,适值淞沪战争初起,日机轰炸上海,商务印书馆的涵芬楼被毁,这批选品也同付一炬,实为无可弥补的重大损失。

幸喜李根源在所著《景邃堂题跋》中记有《滇人书画集》的分集目录,方树梅在展览后,将明清两代云南书画家约二百多人编辑列传,以《滇南书画录》为题于1927年刻本行世。

抗战时的昆明儿童剧团

刘　绮

1939年抗日战争时期,在同济大学的中共地下党领导下,由董林肯、徐守廉、竺伯康、于同尘、陈志德等同学创办了昆明儿童剧团。剧团的宗旨正如团歌所唱:“……我们不怕年纪幼小,要努力救国,跑上舞台,走上街头,暴露敌人残酷，唤醒民族魂……”记得当时我还不到九岁，跟随父母逃难到昆明，对日寇入侵我国有亲身感受；加之从小喜爱文艺，这个剧团马上吸引了我，便参加了这剧团。

首次活动是纪念“八一五”。我们走上街头，高唱抗日歌曲，演出了活报剧《难童》。反映很强烈，得到广泛的注意和好评。

街头演出成功后，董林肯创作了大型儿童剧《小间谍》，我饰演小间谍李芝华，并参加第一届戏剧节。这出戏被报刊评论为“新中国的典型儿童”、“戏剧界的新生力量”，演出收入大部捐献给抗战将士。

接着又演出董林肯、于同尘执笔创作的第二个大型儿童剧《小主人》。全剧十四个角色全是儿童，提出了如何对待下一代“教”与“养”的问题，演出同样受到各界人士的称赞。

1940年的儿童节，当时以我们团为主，举办全市小学生会演，共排练了五台晚会。剧目有根据都德小说改编的话剧《最后一课》与我团创作的话剧《锁着的箱子》、方言话剧《加官》等，起到孩子自己教育自己、宣传抗日救国的作用。

1942年，我们第三次公演董林肯根据苏联班台莱耶夫原作改编的五幕剧《表》。演出得到重视和好评，被报纸誉为“儿童教育名剧”。

抗战胜利后，内战爆发，我们不顾困难和风险，以“昆明儿童剧团团友会”的名义，演出冼群的《飞花曲》，表现了为争取民主而献身的精神，受到广大青年学生的欢迎，但也遭到反动势力的嫉恨,被迫停演。

昆明儿童剧团为抗日救国尽了一份绵薄之力,在儿童剧团史上留下了自己的足迹。

红军长征途中观滇剧

王丕玉

每年农历三月十五为龙神会期，元永井的盐灶户们,向例要唱滇剧庆祝。1936 年的龙神会也不例外,事前曾到昆明、楚雄邀请了十多个滇剧艺人,从龙神会唱到子孙会(农历三月二十),十分热闹。一天晚间夜戏已毕,主办者向滇剧艺人宣布:“请各位先生暂休息几天，过两三天后看情况再说。”当时不知出了什么事情,艺人们非常纳闷。后来才听到街上盛传红军要来,风声很紧,当地的常备队、缉私队和各灶户资方都跑光了,这批艺人既走不了,又演不成,只得晾在老龙祠的万年台上。

三天以后，也即是阳历 4 月 14 日一早,红军分头进入元永井,也有几个走到老龙祠,相见之下，和蔼可亲，并不像谣传中所说的那么可怕。当红军得知他们是唱戏艺人后,就叫他们选个代表去见首长。于是公推张子谦与红军同去,有的演员还担心会出现什么“不测”。隔了一会儿,张子谦回来说,红军首长要我们今晚演戏,

戏码订了《捉放曹》、《拾黄金》和《小放牛》。问我有什么困难，我说就是没有汽灯，首长说不成问题，对我很客气。大家听了非常高兴。

晚上扮戏时，提来了七盏汽灯，台上两盏，后台两盏，其余退回。两位红军首长还上后台问：“还缺什么？能否准时开演？”大家表示没问题，首长还传香烟，与艺人聊天。原来这位首长就是红军六军团首长萧克同志，另一位是政治部主任。他们就在上马门旁靠着柱子看戏。台下观众有红军战士，也有老百姓，十分拥挤。

《捉放曹》由楚雄艺人况必成、曾国章、陈治言扮演，《拾黄金》由昆明艺人杨泰吉扮演，《小放牛》由昆明艺人张子谦和金品芳扮演。

戏演完后，红军送了几包衣物给演员们，以表答谢。老龙祠大门旁边堆着大堆谷子，红军战士把它分给穷苦人。第二天一早，红军离开元永井，向楚雄方向进发。

张善孖画虎刻石

胡以钦

安宁温泉螳螂川畔的崖壁上，在众多的石刻群中，有一幅崖刻，画的是一只咆哮着的猛虎扑向富士山。

这幅具有历史意义的刻画，是擅长画虎的

著名画家张善孖先生在抗战初期，由武汉来昆明时所作。当时，李根源先生约他住在安宁温泉的“龙山别业”，他怀着对日本侵略者的深仇大恨，以满腔悲愤，不怕风吹日晒，整日爬在高梯上，奋笔作画，每天早出晚归，除了吃饭外都不休息，直到工匠把所画那幅“虎啸生风”镌刻出来方才罢手。

从学徒到教授的画家

胡以钦

我与廖新学相识，是在他来我家替父亲胡瑛(建国前在云南任省政府委员)塑石膏像那段时间。他比我大十多岁，但很随和，经常穿着质粗而不甚整洁的西服，整个身心都投身于艺术事业。

他去筇竹寺拍摄五百罗汉像和出外写生都带着我去，我们便成了忘年之交。问起他的身世，他说：“我生在富民县农村，家贫失怙，来昆明在萧呆保开的画馆里当学徒。萧师傅是民政厅的科员，工资微薄，凭他的绘画艺术开了间画店维持生活。我站在桌边细心看他作画，时间长了，就也学会一些绘画技巧。有一天，师傅上班去了，桌上还有一幅未完成的画，我不揣冒昧，就按照他的手法把那幅画完成。萧老师回来知

是我干的，不但未加责怪，还从那时起教我作画。在老师指导下，几年后我也学会绘画技术。在护国路开了一家‘新学美林’维持生计。”

有一次廖先生来我家时，正碰上云南省政府主席龙云和委员缪云台、龚自知等人来我家。父亲替他作了介绍，并说他很有天才，又叫我把他的画拿出来给客人看。这几位云南的要人都说他大有前途。后经父亲推荐，教育厅长龚自知派他去法国留学深造，但所给的钱不多，在巴黎生活很苦。1947 年他学成回国，许多朋友协助他在刚建好的抗战胜利堂开了一次画展。他的百余幅作品博得昆明各阶层人士的高度赞扬，被誉为“当代王冕”，随后并受聘到昆明师院艺术系任教授兼系主任。为培养艺术人才而操劳，孑然一身，终身未娶。

高氏百担斋

孙太初

高问华先生，本河北通县人。清末，先生来云南做州县官，便定居云南。

问华先生在云南数十年，历任军政要职。抗日战争后期，任第一集团军副总司令，转战中原，卓著勋劳。抗战胜利，荣膺金质勋章。

高氏虽为军人，而生平笃嗜书画，收藏甚

富，建国后全捐赠给云南省博物馆。其藏品中，如元黄子久《剡溪访戴图》、明吕纪《柳塘白鹅图》、徐渭《水墨花卉》长卷、蓝瑛《兰石图》、清石涛《墨梅》册、石谿《罗浮深松图》、黄慎《采菊图》、任熊《古木寒鸦图》巨轴以及张瑞图、邢侗、王铎等人的书法，都是不可多得的珍品。

他尤喜收藏担当上人的书画。有一次他从五华山公毕骑马回家，行在途中，碰上一个骨董商人携带一件担当和尚的山水手卷，正要到他家中求售。他即在马上展卷观看，真赝立判，决定买下来，迅即卷起，叫商人到家中取款，跃马扬鞭而去。事后他作了一副对联以纪其事，联云："百担担来非地皮，一卷卷起是天缘。"

担当的书画造诣极高，不在八大山人之下。古语说"阳春白雪，和者盖寡"，因此他的名声在云南反不如周于礼、钱沣等著称。高氏独于担当书画别具只眼，不惜重价网罗，数十年间，所得逾百件，因颜所居为"百担斋"。曾影印担当精品册，分赠海内同好，担公之名，由是大著。

“三九头骨”的发现

张兴永

自元谋县上那蚌村发现了“元谋人”牙齿化石后，又相继在这个县境内发掘和采集到一些古生物和古猿人的化石标本。

古猿化石，是彝族女学生李自秀和她母亲在小河村蝴蝶梁子偶然发现的，是一个有五枚牙齿的古猿上颌骨，引起了有关部门和专家的关注，随即组织力量，认真从事发掘，结果又发现了一具较为完整的带有八枚牙齿、约系五岁幼年的古猿头骨化石。经专家断定，这具头骨是距今三四百万年前上新世地层中的首次发现。

消息披露后，引起国内外学术界的强烈反响。美国加尼福利亚州柏克莱人类起源研究所副所长、古人类学家威廉·肯波 1989 年 12 月在云南省博物馆反复认真地看完头骨后，高度评价说:“这个头骨是迄今在人类起源缺环上最重要的发现。”

为了流传方便,又含有吉祥之意,这个头骨编号为 YV0999,Y 为云南的汉语拼音的首字,V 为脊椎动物英文的第一个字母，俗称“三九头骨”。随着岁月的推移,这个头骨将会在人类起源的研究上有所贡献。

最古铜鼓出楚雄

王大道

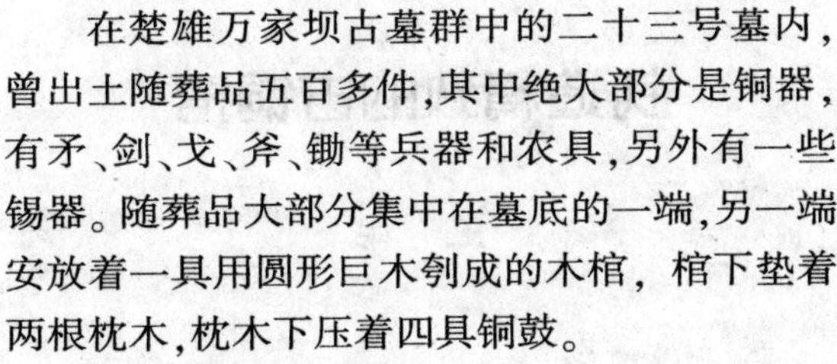

在楚雄万家坝古墓群中的二十三号墓内，曾出土随葬品五百多件,其中绝大部分是铜器,有矛、剑、戈、斧、锄等兵器和农具,另外有一些锡器。随葬品大部分集中在墓底的一端,另一端安放着一具用圆形巨木刳成的木棺，棺下垫着两根枕木,枕木下压着四具铜鼓。

这些铜鼓在形状上与晋宁石寨山、江川李家山古墓群出土的铜鼓大有差别。纹饰简单,只有一些圆饼一样的太阳纹和一些横竖的线条,以及回字形的雷纹和网状花纹，整个鼓形显得原始古朴。铜鼓出土时，都是鼓面向下倒放着，表面满是烟熏的痕迹，显然曾用来煮过食物，说明还处在既作乐器又作炊具的铜鼓发展初级阶段。

经放射性碳素年代测定，出土四具铜鼓的二十三号墓，年代是公元前 690±90 年，距今 2640±90 年。这个年代，比现在世界上所知任何一具铜鼓的年代都早。楚雄万家坝，从此成为迄今世界上最古老铜鼓的出土地。

铜鼓自我国春秋以后，从云南向我国南方、东南亚辗转传播开去，成为这些地区或国家各族人民共同使用的乐器，甚至是顶礼膜拜的神物。时至今日，我们仍能在壮、苗、瑶、彝、傣、佤、水等民族中见到使用铜鼓的遗风。铜鼓延续至今已有二千七百年，它身上凝聚着各族人民的智慧，是研究古代各族造型艺术、冶金、铸造、音乐、舞蹈、绘画、宗教、风俗习惯等的重要历史文物。

铸造精致的古铜棺

王　彬

国内仅有的一具完整铜棺，目前陈列在云南省博物馆青铜文化陈列室里。棺长 2 米，高 82 厘米，重 257 公斤。据碳 14 测定，它是公元前 465±7 年、相当于战国初期的大型铸件。

这具铜棺是在祥云县东南的大波那村清理一座木椁铜棺墓时出土的。棺为长方形,盖作人字形,下有足。整体有如一座悬山式屋顶的干栏式建筑,由七片铜块组装,可拆卸。两壁及棺盖铸有雷纹;两端横壁铸有虎、豹、鹰、燕、马鹿、水鸟及形状似龙的四足怪兽,构图形象生动,疏密适宜。这在我国两千多年前的西南边陲,能有如此高度的冶炼技术和造型技艺,实为可贵的稀世珍品。

滇王金印出人间

孙太初

在云南历史发展的长河中,庄跻王滇,汉武帝开通西南夷,确为决定社会进程的大事。然而如汉武帝开滇的历史,文献中仅《史记·西南夷列传》有简略的记载,不免有一鳞半爪、模糊不清之感。

由于一个偶然的机会,古滇国的历史被揭开了。那是我在云南省博物馆工作的时候,一位姓汪的古董商送来几件青铜器给我看,它那斑烂的锈色和具有浓郁的少数民族风格特点的纹饰,顿时引起我的极大注意。其后,我对已故云南省文史研究馆馆员方仙老先生谈及此事,他说抗日战争时期,在他家乡晋宁县小梁王山曾发现过一些青铜器。后来我们几个同志前往调查，居然找到铜器出土的地点——石寨山。

石寨山位于滇池东岸，距离晋宁县城约五公里，距滇池仅半公里。这是一座石灰岩构造的小山。山形宛似一条巨鲸，亘卧在浩荡的碧波之旁。登山眺望，滇池帆影，西山翠霭，尽收眼底。相传汉武帝欲征“昆明”，在长安凿池习水战，刻石作鲸鱼，即是象征此山。故此山在方志中又名鲸鱼山，这也就是杜甫《秋兴》诗和孙髯翁《长联》中典故的由来。且不论汉武帝所象征的是滇池或洱海，谁会料想到这么一座岩石嶙峋、荆棘丛生的小山，竟会蕴藏着数千件宝物，从而揭开了两千多年前滇王国的历史呢？

最珍贵的是后来在石寨山六号墓底漆器粉末中发掘到的一枚金印。当时，我们小心翼翼地剔除浮土后，金印上四个典型的汉篆“滇王之印”就明白无误地映入眼底了。印背上蟠着一条蛇纽，回首逼视，两眼熠熠放光，印身四边完整无损，光彩夺目。虽然印的体积不过方寸，而我此时感到好像是捧着一件千斤重器。作为历史的见证，这方寸之印，确乎比千斤还重，它在学术上的意义是显而易见的。有了它，两千多年前滇王国神秘的历史揭示出来了，这是一件何等激动人心的大事啊！

沉睡了两千多年的瑰宝，不知经历了几多沧桑，终于重出人间，这不能不是我中华民族具有悠久文化的珍贵见证。

小爨碑失而复得

任 子

《爨宝子碑》,俗称“小爨碑”,是名驰遐迩的东晋碑刻。很多著录都说:“乾隆四十三年(1778)在曲靖城南扬旗田发现。”后曾两度失散,失而复得,颇富传奇色彩。

咸丰初,南宁(今曲靖)县令邓尔恒偶到厨房,看到厨师刚买回来的豆腐上,印有文字痕迹。他反复端详,盘根究底地追问厨师:豆腐在哪里买的?买主姓甚名谁?家住哪里?一连串的询问,倒使厨师莫名其妙,以为这位县官过分小心,对自己不放心。县官要厨师领他到豆腐房查看,厨师说:“路远得很,离城有五十多里路呢。”其后县官终于前去查看,原来这块名碑,已作为压制豆腐的工具。于是他便给豆腐房点钱,命人搬回县衙,亲写一跋语刻于碑末,移置于武侯祠内,碑遂大显于世,拓者渐多,但多不拓跋,以充刻跋前拓本。

1927年8月,云南发生军阀攻战,曲靖累遭兵燹,这块名碑,又被搬去作防御工事。战事停息后,靠拓碑为业的张士元私自将碑搬回家中,自拓售卖。

又过了十年,省内修筑了公路,南京组织了

京滇公路周览团,要来云南参观,省教育厅才拨了专款,在曲靖中学修建爨碑亭,将碑收回陈列亭内。亭上悬有袁嘉谷篆书“爨碑亭”的匾额和行书对联:“奉东晋大亨,瑰宝增辉三百字;称南滇小爨,石碑永寿二千年。”亭后还有周钟岳写的“南碑瑰宝”匾额,至今保存完好。

大爨碑搬迁轶闻

罗养儒 遗作　李亓健 整理

刘宋时立于陆良县的《爨龙颜碑》,又称“大爨碑”,碑原在蔡家堡爨君墓前,立于南朝宋大明二年(458)。清嘉道间,碑倒卧于地,村人以其高大厚重,遂用作掼谷之具。

道光初,陆良贞元堡士人某甲,因事至此村,见掼谷场上有此巨石侧卧于地,谛视碑阴,知为远代古物。乃设法翻露其面,时泥护苔封,不可辨认;又设法洗剔之,碑文始现。然亦不知“爨府君龙颜”之底细及碑刻价值,惟见其字迹古朴遒劲,甚爱重之。乃雇工匠前往捶拓碑文,得若干张,归而搜求考证,复质诸研究金石学者,始知其详,了解此为滇中古老石刻,乃极其珍贵之文物,此后即有多人前往捶拓。

村中有文人某乙,得知碑之可贵,遂将其抬至村之某寺藏储,视为奇货可居,有来拓者,便靳而弗许。某甲以碑原由己发现，今转而受制于人，心怀愤恨，乃集贞元堡人数十，备四牛牵拉之大车，突往此村夺取此碑。某乙无备，碑遂为贞元堡人所得。贞元堡人获得此碑，珍视异常，凿石为座，立于村之深处，上覆以亭，避免风雨剥蚀。由是碑名扬于四海，常有人前往捶拓。

抗战以后，拓者日众，石碑之石质欠佳，粗粝处几若砂石，故多磨损。迩来陆邑人士于此碑备加珍护，碑亭外圈以围墙，复建学校于是，并派人专管碑亭，入拓者有种种限制，加意保护，才使此重要文物少受损毁。

《南诏图传》藏日本

荻 苇

《南诏图传》是唐末五代时云南纸本传世的南诏图文史料。初发表于1944年8月纽约出版的《哈佛亚洲研究季刊》所载美国学者海兰·嘉频女士的文章内，原件为纽约山中公司所有，1932年转卖给日人。图卷中有雍正五年(1727)张照题记以及嘉庆廿五年(1820)成亲王题、光绪己亥(1899)周德钊题等字样。据此可知图传原藏于清宫，八国联军进北京，始被侵略军掳去，现藏日本京都有邻馆内。

《南诏图传》，又称《南诏中兴画卷》、《南诏史画卷》,分两个长卷:一为文字卷,一为图画卷。画卷纸本彩绘,图画内容是叙述南诏建立的神话传说,由三部分组成:一为《巍山起因》,绘南诏始祖细奴逻躬耕巍山,受梵僧(阿嵯耶观音的化身)六次幻化,施以教化,感其虔诚,授以王位;二为《铁柱记》,绘张乐进求率众酋祭祀铁柱,有五色鸟飞到细奴逻左肩,十八日不离,众心归服于他,拥戴为王;三为《西洱河记》,绘洱海内有二蛇缠围神鱼图,前绘"文武皇帝圣真"图,乃大理国开国主段思平,且有"文经元年"(945)字样,乃大理国第二主段思英年号,可能是追尊先王而续画。

文字卷详述画面的传说内容,书法工整,有羲之风格,题为中兴二年南诏臣属王奉宗、张顺二人奉中兴皇帝之命而监制。书画者不知何人,但"中兴"为南诏末代皇帝舜化贞的年号,二年为唐昭宗光化元年(898),续画为公元 945 年,相距四十七年,且墨色不同,当为先后所画而拼接。据台湾故宫博物院原副院长李霖灿先生考证,认为前一部分为大理国初期的忠实摹本,但至迟也在五代中期,应为南诏与大理国之际图文并茂的珍贵文物。画传对研究这一时期的宗教习俗和衣冠器用等都提供了极为宝贵的形象资料,也显示了当时绘画书法的最高水平。

“云南观音”在美国

用　军

美国加里福尼亚州的圣第安哥艺术馆中，藏有一尊大理国的铜铸观音立像，是1941年从Jan Kleinkamp先生处购买入藏的。这像胸臂裸露，体态安详，左手持莲花，右手掌心向外，红漆鎏金，高44厘米，美国学者称为“云南观音”，海兰·嘉频女士考证此为男性观音，并提示这种佛像，可能来自中南半岛爪哇一带。

这尊铜像的背面下部铸有铭文四行，文为：“皇帝嘌信段政兴，资为太子段易长生、段易长兴等造，记愿禄筭尘沙，为喻保庆千春，孙嗣天地标机，相承万世。”这是大理国第十七位国主段正兴出资为他的两位太子祈福而铸造的观音像，意为保佑他们千秋吉庆，万世相承。

按段正兴在位二十四年，用了永贞、大宝、龙兴、盛明、建德五个年号，时为南宋高宗绍兴十八年至孝宗乾道七年(1148—1171)，后避位为僧，禅传次子长兴(即段智兴)，所以这尊观音像，当为其在位时所铸，至今已有八百多年，除左手所持莲花已不存外，余均完好。

《蛮王礼佛图》今何在

王　樵

1944年1月,《大理国梵画卷》在重庆两浮支路中央图书馆展出时,这幅作于宋代,内容丰富,规模宏伟,技巧精湛,出自云南边地的古代艺术珍品,受到各界人士的高度赞誉。

李根源先生看后,在《画卷》题咏前言中,称其"笔笔工细生动,金碧灿烂,光彩夺目",誉为"天南瑰宝",并题诗云:

似此真神品,我生见不多;
文物比上国,相差复几何。

同时,他又不无感慨地写道:

法界源流远,蛮王礼佛初;
两图今不见,遐想意踌躇。

原来《画卷》于明代以前即流散省外,清初转入清宫内府收藏。清高宗乾隆帝对《画卷》评价极高,其题识有云:"顾卷中诸像,相好庄严,傅色涂金,并极精采。楮质复淳古坚致,与金粟笺相埒,旧画流传若此,信可宝贵,不得以蛮徼描工所为而忽之。"

《画卷》系大理国画工张胜温绘制,一般又称为《张胜温画卷》。由于清高宗对《画卷》的重视,乾隆二十八年(1763)及三十二年(1767),先后命内廷供奉画师丁观鹏"仿其法"摹成《蛮王礼佛图》及《法界源流图》;并命"咨之章嘉国师,悉为正其讹舛"。后于乾隆五十七年(1792),复命黎明据丁观鹏笔意,再次摹成《法界源流图》。丁摹《法界源流图》,色彩富丽,金碧辉煌,与原本不相上下,黎明摹本则较逊色。

《画卷》现存台湾故宫博物院,该院视为"镇院之宝"。丁摹《张胜温法界源流图》,一直珍藏清宫,辛亥革命后,摹本被携带出宫,收藏于伪满洲国皇宫,日本投降时,摹本散失。直至1967年8月,吉林省通化市生产指挥部偶然收到此卷,即送交吉林省博物馆,被列为该馆国家一级文物保存。至另本《黎明仿丁观鹏法界源流图》,原为东北博物馆藏品,今存辽宁省博物馆。今惟丁摹《蛮王礼佛图》不知何在。愿它尚留人间。

鸣凤山上的永乐大钟

杨毓骧

在昆明城东约十五里的鸣凤山,又称鹦鹉山,山上有一钟楼,楼高三层。三楼悬有大铜钟一口,钟高3.15米,口径周长6.7米,壁厚15厘米,重14吨。钟上铸有篆书"大明永乐二十一年岁在癸卯仲春吉日造"字样。

钟面装饰,由内外两个梯形图案分上下各

四方组成,富立体感。钟的下部在梯形图案纹饰交汇处有四个仰莲图形,腰部鼓起一道12厘米的弧形环紧缠钟腰,显得稳健结实。钟的顶部由双龙汇尾,分头咬住钟顶,形成钟纽。

此钟民国年间, 原悬挂于昆明南城丽正门西之宣化楼,初用于报时,后曾用于火灾报警,抗战期间,又用作敌机空袭的警报器。因城市建设拆除钟楼,一度将大钟移置古幢公园。后新建钟楼悬挂,与鸣凤山上之金殿毗邻,使云南省古代的两个大型铜质铸物相映增辉。

永乐大钟,在国内屈指可数,而在五百多年前的我国西南边疆——云南, 即能铸此造型优美、凝重庄严的大钟,它反映了云南古代匠师的聪明智慧和精湛的冶铸技艺。

木鼓无声话风云

张昆华

木鼓,佤族叫克洛。传说敲响木鼓,能把人间的声音和愿望传达给天地鬼神, 因而常常用于祭祀、征战、召唤,祈求五谷丰登、人畜和村寨平安。

木鼓最早是氏族标志, 后来渐渐演变为部落或村寨所有,是佤族崇拜之物。要了解和研究佤族的社会历史与宗教文化,离不开木鼓,惜木鼓已很难看到。一次，我从佤山永和寨看过中缅边界一百六十七号界桩来到沧源县文化宫，却有了意外的发现：一具长约两丈、粗壮要两人才能合抱的木鼓，像一位久经磨难的老人，默默地躺在一个僻静的角落。当地的一位佤族人告诉我，这木鼓曾经历过一段令人欣喜而痛苦的历史风云。

经过查访考证，原来这木鼓竟是一具珍贵的文物。二百多年前，佤族的绍星部落(现属缅甸)王子，把这只花桃树雕制的木鼓作为表达心意、和睦友好的吉祥物，翻山越岭，从几百里外抬来，送给勐董傣族土司。木鼓安置在沧源最大的嘎里缅寺，傣族每过泼水节时，先是傣族的象脚鼓敲响了，接着又敲响佤族赠送的这只木鼓，然后人们在鼓声中敲响铓锣，燃放土火箭——高升，泼水，跳孔雀舞，相互进行祝福。

不幸，半个世纪前，岩帅部落佤王率众攻打勐董土司，嘎里缅寺毁于战火，木鼓被和尚抢救出来，掩藏在群众家里，后来在一傣族人家的猪厩里找到。鼓体虽然完整，但鼓身已遍布刀斧伤痕和虫蛀蚁食的洞眼。

我很想听听这古老木鼓的声音，但我不敢再敲它，只用手指轻轻地抚摸着，惆怅地想着往事。

曼飞龙佛塔

舒宗范

在西双版纳景洪县大勐龙的曼飞龙寨子后面山顶上，有座闻名遐迩的曼飞龙佛塔。它是八座高 9.1 米的小塔和一座高 16.29 米的主塔组成的塔群，共同建立在八角形梅花状的塔基上。由于塔身均为多层葫芦形，状似笋丛，故又称“笋塔”。塔身洁白无瑕，亦有人称为“大白塔”。每一小塔座上设有佛龛，壁上有许多佛像浮雕及一尊汉白玉雕佛；佛龛边还雕塑着飞禽走兽、花鸟虫鱼，把整座塔装饰得富丽堂皇。每座塔檐都悬挂着铜铃，主塔顶还安置有一铜质“天笛”，微风稍起，铃声丁当，天笛尖啸，颇有情趣。离塔基周围七八米，筑有石围栏，栏上雕龙刻凤，描图镂花。入口处两条泥塑大龙，塔后一幢木质庄房，使人有庄严肃穆之感。

相传当年佛祖释迦牟尼到大勐龙时，在此山头的裸岩上用左脚踩出一个深深的脚印，用禅杖在脚印边戳出一眼井泉，于是，信徒们便在这座山上建起佛塔，但这毕竟只是传说。曼飞龙佛塔，实始建于释迦牟尼涅槃千年后的 1204 年(傣历五百六十五年)，由三个印度佛教徒设计，大勐龙头人古巴南批等人主持建造的，近代曾两次加以修复。每年泼水节期间,曼飞龙及附近寨子的傣族群众,都汇聚到塔前举行欢庆仪式,围着塔群跳“依拉贺”、泼“吉祥水”,欢度傣历新年。

种松碑与护松碑

杨　铠　许辅庭

大理有两块植树护林的碑刻，一为《种松碑》,一为《护松碑》。前者早已闻名,后者发现不久，两碑拓片均陈列在大理白族自治州博物馆里,前后辉映,可为破坏林木者戒。

《种松碑》的作者宋湘,粤人,清嘉庆进士,选庶吉士,授编修。官云南十三年,他曾“教民”种松于三塔寺后。时过六年,所种之松,长势葱茏,喜而感赋:“何日再买三千石,种遍云中十九峰”,并以所赋诗勒石,博得众口交赞。

《护松碑》是大理下关旧铺村维修村中本主庙时发现的,碑立于清乾隆四十五年(1780)。当时村名“赤浦”,作者为本村张文昱,他是一个鲜为人知的秀才。碑文没有引经据典,而是以散文形式,一气呵成。就其文笔之秀美朴实和乡土气味之浓郁,不能说不是一篇佳作。

《护松碑》早于《种松碑》四十二年前就已立石,它以朴素的文笔,叙述乾隆三十八年(1774),

赤浦村民为补足主山的缺陷,“合村众志”,“奋然种松”的缘起和情景,并将保护森林的办法措施勒于碑石,特以垂诸后世。作者希望通过大家的努力,所种之松,“青葱蔚秀自现于主山,而且培养日久,可以为栋梁,可以作舟楫良材之产”。为了使“主山之木常美”,全村对于“无知之徒,希图小利,窃为刊损者,干罚必不能免”。由于合村众志,主山之木长势喜人。碑文中以“补山为主,取材次之,不言利而利在其中”的思想,对后世有着深远的教育作用。

护　国　岩

谢本书

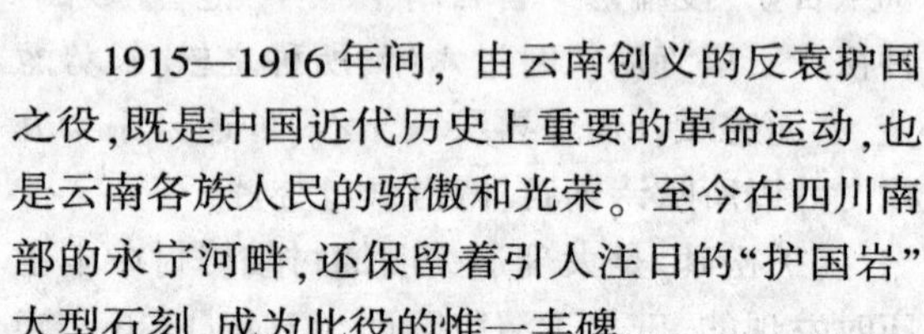

1915—1916年间,由云南创义的反袁护国之役,既是中国近代历史上重要的革命运动,也是云南各族人民的骄傲和光荣。至今在四川南部的永宁河畔,还保留着引人注目的“护国岩”大型石刻,成为此役的惟一丰碑。

1916年3月,反袁护国战争在四川泸州以南激烈进行,川南几乎全部化为战场,叙府(今宜宾)得而复失,纳溪三易其手。为了进行必要的休整以准备反攻,护国军第一军总司令蔡锷下令护国军从纳溪前线撤退。总司令部行营则撤至永宁(今叙永)大洲驿(今名护国镇),蔡锷驻节在大洲驿旁永宁河上的一条大船上。后来的总反攻令，就是从这条船上发出的，并取得了护国战争的胜利。为纪念这个地方，蔡锷曾勒铭于永宁河畔的巨型岩壁上，铭后附刻序文。

护国岩铭计八十字，每字大约16厘米，全文如下：

> 护国之要，惟铁与血，精诚所至，金石为裂。嗟彼袁逆，炎隆耀赫，曾几何时，光沉响绝，天厌凶残，人诛秽德。叙泸之役，鬼泣神号，出奇制胜，士勇兵骁，鏖战匝月，逆锋大挠。河山永定，凯歌声高，勒铭危石，以励同袍。

序文二百字，叙述勒铭经过，每字有一小碗大，可视作一篇简要的护国战争史述。铭和序上刻有"护国岩"三个斗大的字。

天雨流芳

周善甫

明代丽江木氏土司署，位于县城中心黄山南麓，备极壮观，《徐霞客游记》曾誉之为“拟于王者”。清同治初毁于兵燹。笔者童年犹及见其遗址，且闻故老言，其二道牌坊之题额乃“天雨流芳”四字，为初建时土知府木高所题书，盖纳西语“去读书吧”之谐音，雅训工巧，洵为语、文双关之嘉言。

木氏起于明初，以武力扩大领地，盛时有今丽江地区及四川部分边地，授土府。崇尚儒学，曾购置经史图籍万余卷，供士子阅读。木氏三公

(木高、木公、木增)均娴于诗文,木公著有《雪山始音》等六种,其子木青著有《玉水清音》,木增著有《啸月函诗集》等三种,刻本流传至今,意境修辞,不独为少数民族中所仅见,亦为诗坛中之上选。土府以"天雨流芳"题额,知以学习儒书,开通民智为本,故能人文蔚起,数百年长久不衰。时至今日,纳西族所在地区社会文化,仍兴盛不衰,溯其由,洵出前贤之明智。

云南最早的民办阅览室

艾 芊

李庆恩先生于光绪三十一年(1905)在昆明端仕街家中创办了一个阅览书报室,自费购置新书报,免费供人阅览。为了补充新书刊,曾遍登广告,征求国内各书局和报馆寄赠书刊目录,收到后即照汇款邮购。他在《上海时报》1907年10月6日登的一则广告称:

鄙人为开通风气起见,于云南省城创造(办)阅书报馆二年于兹,日见发达。现当进化时代,海内新出书报,日异而月不同,滇中僻处一隅,苦于未能周知,应请各埠华字报馆详查,如尚未与本馆交换,请将报张先寄一礼拜,但宗旨不谬,即行订购……至各书局新出书籍,请将书目价单随时见寄,

以便购置,函报均寄由鄙寓查收为盼!事关公益,幸冀垂鉴!

在当时书价昂贵之际,还有如此热心公益的人士举办阅书报室,开通民智,造福人群,实为难能可贵。

六十军创办“难童教养院”

赵　趣

抗日战争期间,南昌失守,赣北告急,六十军奉命驰援,力战收复奉新。战后的奉新城,断垣残壁,一片废墟。不少幸存的孤儿,蓬头垢面,衣不蔽体,饥寒交迫,惨不忍睹。军长目睹此情此景,决心自筹资金,在军部驻地附近创办“难童教养院”,命军部“云南妇女战地服务团”张芝负责筹备,拟订计划施行。

“难童教养院”由张芝负责,王蕴云、胡素琪协助工作,另由军政治部派来李学负责办伙食。先后共收容五至十四岁男女难童三十九人。难童入院后,首先搞清洁卫生,一律剃光头,洗澡,换着新衣裤,剪手脚指甲,医治瘌痢头、疥疮等皮肤病。每日定时教孩子们读书写字、体育锻练、唱歌、讲故事、玩游戏。由于吃饱穿暖,孩子们很快恢复了健康,原来皮包骨头的猴型脸,变成龙眉虎眼的胖娃娃。

战地服务团的同志都是青年学生，被派到教养院，开始学习做“妈妈”的工作，困难的确不小。她们每天给年小的孩子喂饭、喂水、喂药，夜间天冷还得领着睡觉，并教育大孩子给小孩子端水、端饭、洗碗、扫地，如嫡亲兄弟姐妹。有时老师还自己掏钱买糖给孩子吃。一次夜行军，小孩子走不动，几个老师就轮流背着走。相处时间长了，师生之间逐渐产生了母子之情，孩子们看见老师累病了，主动给老师捶背、端水、问长问短，简直就是一个杂姓大家庭。

1940年，日寇侵越，滇南告急，六十军奉调回滇，全部难童送吉安，造册移交给了“吉安难民收容所”。

五华山上的开武亭

周善甫

清初，云贵总督范承勋于康熙二十六年(1687)，在昆明五华山最高处(现为云南省政府篮球场址)建了一座较为壮观的六角亭，题名“拜云亭”，在亭内供奉大清皇帝的万寿牌位，规定总督每月朔旦(初一早晨)，必须统率全城大小官员到亭前“习礼”，按官阶排队磕头如仪，故有“皇亭”之称。

辛亥重九起义，五华山便作为省都督府所

在地。到民国三年(1914),袁世凯阴蓄异志,大改法统,把各省都督改为由他分封的"将军"。当时掌握云南实权的唐继尧被封为"开武将军",于是,将军府里的这座"皇亭",被重修一新,高悬新额,改称"开武亭",仍是个节堂之类的重地。

1915年12月13日,袁世凯公然称帝。云南首义反袁,于12月25日在开武亭前誓师护国,随即举兵讨袁。护国胜利之后,曾在设于昆明近日楼上的"护国纪念馆"里绘制了两巨幅油画,当中一幅,画的便是誓师图,背景正是金榜高悬的开武亭。台阶居中是全副上将戎装的唐氏,作正在演说状,身后是几位文武大员。亭前场上,则有全副武装的一二百位军官,列成"三方队形",肃然立正听训。

移卤就煤与"盐神"碑

谢本书

楚雄州禄丰县一平浪的山顶上,曾经竖立过一座"盐神"碑,这是为纪念张冲移卤就煤工程而建立的。碑已不存,后又立新碑——《张冲创建盐矿纪念碑》。碑文最后说:"张冲实为今日云南一平浪盐矿之创始人,值此盐矿投产五十周年,立此碑缅怀其功,激励后人奋发努力!"

移卤就煤,是盐业发展史上一大创举。1931

年,张冲担任云南盐运使后,了解到云南盐业衰落,食盐供不应求,既影响人民生计,又影响盐税收入,因而决心进行盐政改革。经过多次亲历实地考察,了解到禄丰县元永井一带,盐卤丰富,但各井户历来煎盐均用柴烧,致使附近森林逐渐砍光,柴源枯竭,成本增高,产量锐减。而距元永井二十一公里处的一平浪,却有丰富的优质煤层,以煤煮盐,成本将大幅度降低,产量必然增加。但要改为用煤煎盐,就要考虑移卤就煤,或移煤就卤。张冲考察后注意到,舍资河经元永井附近流到一平浪,汇入蔡家河,这说明元永井地势高于一平浪,乃决定移卤就煤,用管道输送卤水。

经张冲努力,当时的云南省政府批准了移卤就煤工程,并委张冲兼任一平浪盐场工程处督办。1933 年 3 月工程动工,张冲坐镇指挥兵工三千、民工一千施工。工程未竟,而经费发生困难,张冲遂将自己在昆明的一座四合院卖掉,将所得全数投入。经数年努力,主要工程终于 1937 年 4 月竣工。不久,抗日战争全面爆发,张冲率师出省抗战,该工程于 1937 年 11 月移交省财政厅接办。延至 1938 年 8 月,所有工程全部完工。8 月 25 日,元永井矿卤水流至一平浪,燃煤煎盐,人获成功。煎出之盐,干净、雪白、卫生,合乎标准,成本降低很多。云南因之得以度过盐业危机,并垂惠迄今,人民为立丰碑,实有所自。

林森题字奖边民

善　甫

老友李立(烈)三，纳西族，世居丽江，出身滇藏贸易之望族。自幼精明强干，经商历远，广有见识与交游。

抗战后期，海疆俱陷敌手，后方之对外交往，仅靠滇缅公路的汽车运输及滇印间之空运，因而民间外贸，就特显重要。当时从丽江到拉萨的马帮，来往一趟要半年；要转到印度，更非易事。

当时立三正当盛年，此道已屡经往返，是驼铃叮冬间的健者之一。但他深觉旧途太过迂回，总望能于察隅之南找到一条捷径。1942年，当他赴印返滇时，就决然只带少量高档商品，搭上火车，直趋印度西北铁路的终点萨地亚，再徒步投向野人山地的丛莽，他重酬雇用土人背上货物，巉岩深谷，攀藤附葛，朝东直奔贡山，终于只用二十多天就回到了丽江，成功地开辟了一条国际商道。因之，经过向上反映，重庆国民政府曾颁令嘉奖，国府主席林森亲书“忠信笃敬”四字，署了上下款，盖上国府大印赐给他。

他也以此为荣，设宴欢会亲友志庆，我和胞兄周霖也应邀在座。看到林氏所书横幅高悬正厅，字近孟頫，倒也颇觉清贵。正观赏间，霖兄对我细语说："到底出自国府，不知哪位秘书拟的题词，真见才具！"我说："也不见奇呀。"他便指出这四字乃出自《孟子》，并要我复诵。我才恍然想起，那是："言忠信，行笃敬，虽蛮貊之邦行矣。"不禁叹赏其运思之警巧切贴。

1947年，立三慨然舍弃世业，参加中国共产党组织的滇桂黔边区纵队七支队，为滇西北的解放，作了许多积极的工作。1948年秋，他又轻骑赴中甸去策反藏族旧友，不意遭反动派暗算，在归途中牺牲于金沙江畔。一代健儿，赍志以殁，于今忽忽四十余年，而其勃勃英姿，仍憬然在目也。

农家老妇智擒飞贼

赵和甫

1938年9月25日晨八时许，日本飞机首次空袭昆明，警报声响彻全市。我同六弟宗朴奔出小东城，隐蔽于穿心鼓楼附近麦田中。未几，遥见南方高空有敌重轰炸机九架，排成品字形飞入市空，转而西向投弹，顿时浓烟升起。此时，突见高空我战斗机一架，俯冲飞向敌机群。遥闻枪声哒哒，敌机阵容大乱，南飞逃遁；中有一架尾部冒烟，仍挣扎随队而去。

解除警报后，探悉敌机为木更津海军所属机群，来自围洲岛。这次被炸区在西城墙脚潘家湾苗圃一带，死伤趋避林地中人群二百余人。

那架受伤敌机，勉强飞到路南县，即起火坠毁于地名红米珠的荒箐里，仅有一人跳伞逃生，余均烧死。那名逃敌，在山里躲了两天，饥渴难耐，出来觅食。他摸到山上一独家草舍，窥见只有白发老妇一人在屋，始大胆敲门，边指划，边用拙劣汉话要吃的东西。老妇居然辨认出这是敌人，便机智地比划家中无粮，愿去邻家借米炊饭给他吃。她把敌人哄进屋内，立即将门反锁上，奔赴乡公所报告情况。乡上派团丁随她返家，逃敌随即束手被擒。战俘自供名池岛，原是昆明早年日本人开设之府上洋行老板之子。幼即生长于昆明，熟知地形地貌，此次奉派为领航员，参加袭击。以后他一直被囚禁于昆明监狱，直到病死。坠毁的机骸、武器，曾运省公开展览。

边防线上的飞机工厂

张　骞

1938 年 10 月，“中央杭州飞机厂”为避日本飞机的轰炸，厂址累迁，最终选定在云南与缅甸南坎相望的瑞丽的垒允，建立飞机工厂。当时全体中外员工不顾烈日，建盖基础设施，安装机器设备，于1939年7月建成投产。

边疆特有的热带雨林风光和民族风情，吸引了许多人。工厂的中外员工，从繁华的都市来到边区村寨，都能安之若素。美方设计课主任格林，看到傣家竹楼后，给他女儿贝蒂写信说："……已经从南坎搬进中国境内我们住所里了。我们临时住在竹棚内，屋顶是用稻草覆盖，地板、墙壁则用竹子搭成……"

工厂有职员二百多，技工一千多，普工约二千人，专业人员一百余名。有来自西南联合大学的毕业生，有从美国归来的留学生，还有外国专家。建厂后，工厂装备又有所改善，新建了水电、铸造、发动机装配等车间。

1940年，飞机工厂组装霍克Ⅲ式战斗机五十架，P-40战斗机二十架，莱因式教练机三十架，PC-3运输机三架，并大修了蒋介石的座机西科斯基水上飞机。这些成就，对提高我国飞机制造水平，抗击日本飞机的空袭，都发挥了很大作用。

公教人员咏物价

李行健

抗战结束后，昆明物价飞涨，民不聊生。一般靠工资生活的公教人员难以糊口，我当时也有切身的体会。而另一方面,一些资本家、官僚资产阶级、特权阶层则大发其“国难财”,攫取暴利,穷奢极侈。当时曾有“教授教授,越教越瘦”,“薪水薪水,不能买薪买水”的慨叹。

那时通货恶性膨胀,物价一天多变,早晚市价不同。钞票在手,转瞬贬值,睡个午觉,钞票的实际价值就降了一大截。我于感愤之余,曾写了一首打油诗:

物价一天几十变,扶摇直上九重天;
愁卧草堂惊梦醒,青蚨半已化青烟!

由于物价飞涨,生活困难,某大学教授愤而写了一副拆字对联:

欠食饮泉,白水何堪足饱;
无才抚墨,黑土岂能充饥!

他把“饮泉”、“抚墨”四字拆写作“欠食”、“白水”、“无才(借作财)”、“黑土”八字,以抒发胸中怨怒。

通货膨胀和物价上涨是孪生兄弟,互为影响。由于通货恶性膨胀,旧法币已贱如粪土,旧政府仍改变花样,发行什么金元券、关金券,结果是越搞越糟。为时不久,人们就把金元券用来折扇子,编帽子;有些商店还把它们粘连起来,写上“大减价”、“大拍卖”的字样,高挂在店铺门前,代替宣传布招。这对旧政府的财政币制实是莫大的讽刺,我因此写了一首顺口溜:

金元券,见今年,过了今年不值钱,折扇糊墙或可用,商家拍卖挂门前。

晓东街的由来

张伯翔

晓东街是昆明市的一条狭窄小街，但在抗日期间，颇有点名气。一到晚间，灯火辉煌，人群扰嚷，洋货充斥，五光十色。在小街南头，还有一座那时在昆明算是第一流的南屏电影院，所以这条小街，当时显得相当繁华热闹。

晓东街在清末原为巡警学校操场，后由朱晓东购得此处地皮，并建为街道，故名。

朱晓东名旭，龙云任云南省主席兼三十八军军长时，朱任龙部九十九师师长。朱看准该处地皮大有发展前途，亟欲占有，探悉业权属于昆明五乡会馆，遂推荐其秘书处长张谷天出任昆明县长兼三十八军兵站长，嘱为代谋。张乃与县教育局长邀请五乡士绅等共同会商，以“教育经费短缺，而南校场长期荒芜搁置，……若卖出可充教育经费”为由，进行拍卖。张还提出：“该地江湖亡命之徒汇集，情况复杂，非强有力者不敢收购，未若售与朱师长为宜……”朱即以廉价购得该处地皮。

抗战期间，女企业家刘淑清在此兴建南屏电影院，时朱晓东已殁，其后人以地皮入股，成为该影院的大股东。省外涌入之商人群起仿效，在该地区建房，朱家即与签订建房可抵房租的协议，不耗一文资金，而建成当时昆明市内最为繁华的这条小街。

一个谜语两个底

李庚禹

1945年8月间，青年远征军汽车十四团，驻昆明高峣、车家壁、普坪村，正待命乘飞机到菲律宾，拟从上海反攻登陆时，日本突然宣布无条件投降。

数日后，营中有人传阅昆明报纸上登有一则谜语叫“日本无条件投降”，要求打一个古人名。谜底揭晓时，一家报纸称是“苏武”；寓意是苏联红军进入东北，消灭了日本关东军，在兵临城下的严峻时刻，日本才被迫投降。

另一家报纸却截然不同，说是“屈原”；意思是美国在日本国土上，投掷了两颗原子弹，日本被其威力所吓倒，才不得不投降。

两个谜底虽然不同，但各有道理，亦颇饶情趣。

翠湖话旧

周嘉禾

抗战初期，西南联大教授、著名史学家陈寅恪来昆，在昆明翠湖时，回忆起北平的昆明湖，因而赋诗一首云：

照影桥边驻小车，新妆依约想京华。
短围貂袚称腰细，密卷螺云映额斜。
赤县尘昏人换世，翠湖春好燕移家。
昆明残劫灰飞尽，闲与胡僧话落花。

深感日寇侵华，北平沦陷，随西南联大移家昆明的苦况，抒发了山河破碎的忧国情怀。

翠湖位于昆明市区，为闹市中的一个湖景

公园,是春城人民最热闹的游览胜地。

元末,这里还是一片沼泽,附近多菜园,故俗称菜海子,又称九龙池。明初,沐英镇守云南,在湖西修建柳营,后又改为沐家的别墅,就在湖滨建造楼台亭榭。清初吴三桂入昆,填湖之半作新府,后改名为洪化府。后人厌恶吴名,将洪化府改名为承华圃。吴氏反清失败后,清康熙间云贵总督范承勋、巡抚王继文在湖中建碧漪亭,俗称湖心亭或海心亭,为"濠上观鱼"的观鱼楼。黄奎光题联云:"有亭翼然,占绿水十分之一;何时闲了,与明月对饮而三"最为脍炙人口。后更加建莲华禅院及放生池,极一时香火之盛。真是"城市别开仙佛界;楼台妙在水云乡。"清道光年间,云贵总督阮元仿西湖苏堤,在湖中筑了一道纵贯南北的长堤,后人称阮堤,架桥三座,南名燕子桥,中名采莲桥,北名听莺桥,至今南北二桥犹存。辛亥革命后,督军唐继尧步阮元后尘,仿西湖白堤,加筑了一道横贯东西的长堤,名唐堤,也建了两座桥,东名卫东桥,西名镇西桥。

民国初年,翠湖辟为公园,后经多次修建,增加了多个景点,已成为昆明市区最热闹的休憩游览地。到了冬季,还有白鸥翔集,群芳争艳的情景。笔者曾撰联以志其胜。

旭日东升,青霭碧漪鸥戏水;
翠堤春晓,嫣红姹紫燕衔泥。

雨后叠水双彩虹

云　崖

多次游路南石林，未至大叠水瀑布一观，常以为憾。

八月的一个下午，终得驱车前往大叠水瀑布。一路晴空丽日，兴致勃勃。行约二十公里，到板桥乡。舍车步行，越丘陵，过村庄，穿田野，隐隐听见流水轰鸣。续前行，在一片坡地前端，眼前呈现丫字形深箐。沿坡上“之”字形小路攀藤扶石而下，约二三百米，至箐底，一片雄奇壮观的瀑布夹风卷雨向下扑来。

原来，这里系南盘江的支流巴江(又名板桥河)的一段，上游河床尚平衍，到这里两山夹峙，岩层骤断，悬崖壁立，高约百余米，河水从中泻出，往下涌跌，跳过三叠岩石，以雷霆万钧之势，倾入崖底潭中，飞流击石，山鸣谷应。冬春之季，河水清浅，飞瀑一分为三，如三条银龙追逐嬉戏，中间如珠帘遮盖。夏秋两季，水量丰富，瀑面宽阔，水从崖顶跌落，有如银涛直泻，万练垂空，水击岩石，溅珠结雾，弥漫空中，化为蒙蒙细雨，飞洒远近。人游至此，顿觉雄吞万派，神爽思飞。八月，这里的天气变化也快，刚才还是晴空丽日，一下就阴云奔驰，骤雨袭来。不久，雨过天晴，太阳露出笑脸。山畔薄雾残留，崖前水雾迷蒙，阳光下射，瀑前、山畔双双现彩，形成雨后双彩虹的奇观。据当地长老说：能遇到双彩虹是游者此生有幸。也许，因向往此地很久，天公对我等厚赐吧！

澄江的孤山

刘钟兴

我国风景以孤山为名者不少，如西湖孤山为宋林逋隐居地，小而无奇；鄱阳湖中大小孤山游人不多。云南孤山雄踞抚仙湖波之中，景物奇秀。明嘉靖时杨慎谪戍云南，有《游江川之澄江》诗二绝云：

通海江川湖水清，与君连日镜中行；
孤山一点横烟小，何羡霞标挂赤城。

又：澄江色似碧醍醐，万顷烟波际绿芜；
只少楼台相掩映，天然图画胜西湖。

按"赤城"为浙江天台山名。四川青城山亦称赤城(见陆游诗句："看遍人间两赤城")，皆陆上丛山，未若澄江的孤山在万顷碧波之中，故又有"环玉山"、"小金山"之称。

孤山屹立于距澄江城十余里之湖中，原分大、小孤山，有饮虹桥相连。明末小孤山与饮虹桥因地震而荡没，惟大孤山岿然挺立于波涛中，氤氲缭绕，阳光中七彩折射，恍如仙境，又似海市蜃楼。

孤山面积八十二亩，四周皆斧削绝壁，最低处高十米余，险峻难攀，惟一陡峭小径可登。孤山自宋时开发，有大理国段氏所植古柏，元明士绅兴建庙宇殿阁，还有危崖险洞遍布其间，以弄珠崖、烂柯坪、双人石、襟海亭、鱼乐国、雄文阁等十景闻名，另有瀛海寺、三清殿、玉皇阁、水月庵等建筑及高九丈的十三层铜塔一座，风物“巍然形胜冠南洲”。康熙二十一年县令彭贤《重修孤山寺记》云：“孤山向为迤东胜景，阙草攀萝，逐跻其巅，始由烂柯石探南无洞登弄珠岩俯鱼乐国，众山献翠，两海环碧，颇如吾楚潇湘洞庭……”

抚仙湖揽胜

杨应康

抚仙湖位于澄江、江川、华宁三县之间，古称大池，又称罗伽湖、青鱼戏月湖。抚仙湖是滇中一颗明珠，面积二百一十二平方公里，为我省第三大湖。蓄水量一百八十五亿立方米，是滇池蓄水量的十二倍，平均水深87米，最深155米，为我省第一深水湖泊，全国第二深水湖泊。湖水明净透亮，微波荡漾，她使诗人陶醉，旅行家倾倒。

沿湖山川秀丽，名胜众多。西南面的海门河连接江川的星云湖，河中有“界鱼石”，两湖之鱼，以石为界，不相往来，蔚为奇观。西面名刹古寺，金碧辉煌，碧云寺、万松寺、观音寺，掩映在青山绿波中。还有直插云霄的玉笋山，因状如玉笋而得名，“玉笋晴岚”就是澄江十景之一。北部的温泉群沿湖布列，有的泉眼就在湖中，为理想的疗养地。东部海口桥始建于清康熙年间，全用大石支砌，雄伟壮观。孤山岛像一叶扁舟飘浮于湖的南面，面积约半平方里。岛上有山，有洞，有古迹，明代以后在岛上曾建有殿八、阁五、亭三、堂一、庵一，还有一座铜塔，明、清时为滇中游览胜地。

抚仙湖还以盛产抗浪鱼闻名，如在湖边榕树下煮锣锅鱼，尝鲜赏景，更是野趣横生。

抚仙湖水温冬夏变化不大，宜于游泳，特别是新河口一带，近岸一百余米，湖水清澈，细沙铺底，宛如天然泳池。

抚仙湖东北面的帽天山曾发现稀世珍宝——澄江动物化石群。因此，抚仙湖已不是单纯的旅游胜地，而是一个兼有科学考察、疗养、避暑等多功能的湖泊了。

苍山玉带云

张 存

苍山的玉带云果真是绮丽的。雨过天晴，在大理城仰望苍山，莽莽苍苍，雄踞洱海之滨。十九峰像十九位饱经沧桑的历史老人，又似十九名比肩并坐的少女，使人思绪万千。

半山腰常常汇集飞舞白云，似一条玉带缭绕于长达数十里的苍山中间，又如一条细白的纱巾飘在十九名少女的胸前，显得分外洒脱，这就是久被人们称道的“玉带云”。如果把点苍山比拟为一幅巨大的山水画卷，那么，有玉带云的萦绕，使这幅画更加秀美了。

你看，苍山峰峰相连，险峻峥嵘，雨后，更显得青翠。山巅，皑皑白雪连着团团云雾。山下，洁净的洱海像一面明镜。洱海之滨，白族民居鳞次栉比。遇上三月街，赶街的人流如潮水滚动，人群中，白族妇女梳着发髻，穿着白色右衽上衣，腰系红色绣花短围腰，格外引人注目。这一切景物，与苍山半山腰的“玉带云”互相衬托，俨然一幅活的山水图，格外迷人。

“玉带云”的形成，可能是苍山顶部冷空气与山下暖气流相对流而形成的。大自然造就的景观神奇而又迷离。出现后约过半小时，“玉带云”慢慢变宽，渐渐变幻多姿地向山顶飘去，很快又变成一顶灰色的帽子盖住山巅。

洱海三岛

张松泉

自古以来，大理洱海就有三岛、四洲、五湖、九曲之胜。随着岁月流逝，有的已为陈迹；然而，三岛风光依然风姿绰约，神韵天然。

趁蓝天如洗，我乘小船摇入洱海，不久，就到洱海东南角第一湾前的金梭岛。岛长800米，宽100米，出水面260米。两头高，中间低，远看如一枚织梭。离船上岸，只见柳绿花红。踞高眺望，北面，湖碧如玉，风帆穿梭，青峰塔影相映水中，真是“长空碧水共一色，上下天光景万千”。西面，苍山巍峨，雪峰连云，展布天际，万态毕现。东面岗峦起伏，伸接佛教圣地鸡足山。据历史记载，一百多年前，南诏王慕其岛上“风景优美，四面临水，夏日清凉”，曾在岛上修建避暑行宫——舍利水城。后来还在岛上发现过南诏时的有字瓦。

小船再北行十里，来到挖色湾前，但见巨石突露水中，好像落在天书上的玉印，人们叫它玉儿岛或小普陀。岛上有观音小阁一座，翘角飞檐，颇具匠心。从阁后望去，“湖光开晓镜，山色上朝霞”，只见苍山排翠，隐于烟霞之中，莽莽苍苍，极富诗意。

洱海东北角的赤文岛，则又是一番韵致。岛上林木蓊郁，洞穴纵横，虽无人居住，却有群鸟在此栖息。窄长的天生营半岛，隔水对望，围水而成内湖。登高摄影，取景框中，白云飘动，鸥鸟翔集，渔舟点点，好一幅诗一般的画图！

洱海三岛之美，在于岛凭水起，水里生山，山光湖色，相映成趣，真是“令人一步千徘徊”啊！

洱 海 月

张松泉

洱海风光明媚，白族人民的思想感情和心理素质都得到了陶冶，使之富于幻想，善于歌唱。因而洱海月的景观，也就特别神奇而优美。雨过天晴，相邀数友，可到洱海作赏月之游。当日晖敛尽，天光乍暗，清风徐来，从海滨泛舟入湖，漂荡中如入仙境。猛然，青苍的东山高顶，涌出一轮棕红满月，娇羞凝重地慢慢升起，红黄辉光撒向整个海面。月渐高而光益明，万顷碧波上闪起粼粼金光。

月至中天，竟如巨大的金盘浮动水面。此即“洱海金月映双影”的奇景。当洪波汹涌时，又有如散金碎银撒向海面，颇具奇观。同时，小舟荡

漾水面，尚可饱览“苍山雪映洱海月”，使人心醉神怡。

这是洱海的地理条件所形成的特色。明代曾有人观察说：“望后至二十，月尤圆满”，“地气高爽，无霉湿，日月与星辰较中州倍大”。为何如此，原因是洱海海拔较高，大气覆盖层薄，看到的日、月、星辰比中原看到的似乎要大得多。中秋之月，似垂接水面，仿佛天低水高。渐升则天月水月相距甚近，有特圆特大之感，加之明湖如镜，光辉四射，不禁使人陶醉在这大自然的美景之中。

虎跳峡——世界最深的峡谷

孙　炯

如果说美国的科洛拉多峡谷堪称世界上第一大峡谷的话，那么深藏于滇西北雄山巨岭间的虎跳峡，就是世界上最深的峡谷了。

从巴颜喀拉山麓奔腾而下的金沙江经号称长江第一湾的石鼓突然急转东流，到了玉龙雪山和哈巴雪山脚下，江水即从两座雪山之间劈崖穿山而过，形成了举世闻名的虎跳峡。这里有着地球上最奇特的地形，南边是海拔 5596 米的玉龙大雪山，北岸是海拔 5396 米的哈巴雪山，而谷底海拔约仅 1900 米，故谷深竟达 3700 米，称之为世界最深的峡谷,是当之无愧的。峡谷两岸绝壁陡峭,高山巍峨,江面为山势所束,异常狭窄,故水流激湍,滔滔白浪直冲暗礁危壁,惊涛怒吼,震天动地,几里之外都能听到,真有“万仞绝壁万马奔,一线天盖一线江”的气势。因此有“一睹虎跳峡,才算真男儿”的说法。

那延绵十七公里的上中下三个虎跳共十八险滩,有二百多米的落差,造就了无数波涛汹涌的奇观。雄伟的高窄谷口,只见两岸直插苍穹的雪峰在夕阳余辉下分外迷人, 而那已冲出峡谷的江水,则滚滚向东流去,一泻万里。一时颇有伟大长江果然出身不凡的感受。

绿雪奇峰

周善甫

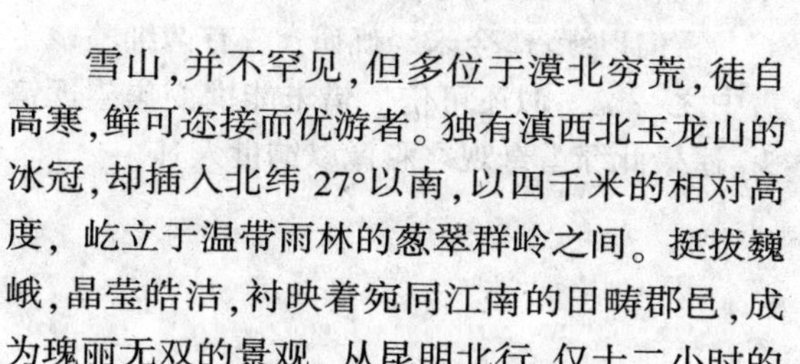

雪山,并不罕见,但多位于漠北穷荒,徒自高寒,鲜可迩接而优游者。独有滇西北玉龙山的冰冠,却插入北纬 27°以南,以四千米的相对高度, 屹立于温带雨林的葱翠群岭之间。挺拔巍峨,晶莹皓洁,衬映着宛同江南的田畴郡邑,成为瑰丽无双的景观。从昆明北行,仅十二小时的车程,便可一览雄姿,所以特为好奇者所向往。

从丽江县城北望,见雪山端丽庄严,似觉一揽可尽。其实它截金沙、连太子,逶迤数百里。其间丘壑堂奥，殊有未可毕揽者。笔者生小是乡，早岁清狂，曾累事攀越。但所涉猎的，也仅其什一而已。

在所亲历的奇景中，值得大书的，首推绿雪之奇。在主峰扇子陡南侧，峰下是一片大雪原。绿雪峰就在雪原正下面不远。可是它僻处大谷中的北面悬崖间，南面也是悬崖，不循东面的“大深沟”(未名的冰河故道)去迂回深探，是难睹真容的。

要走近她，是不可能的，不仅壁立千仞，绝难攀跻，而且是雪崩最频仍的所在，又时时有飘石飞坠，噬嗒有声，连岩脚也不可久留，只好落帽瞻仰而已。不过深箐本身的幽奥高玄，也即人间殊景，辛劳远至者，总不至有空返之叹。可是直到如今，曾亲到其间者，仍还不多。

笔者好奇，早岁曾两到其间。当年同游的李霖灿君，后来还把他远在加拿大的书室命名曰“绿雪斋”，亦足见爱重之殷。

雪何以绿?迄今未经确研。或有谓细藻孳生雪中之一说，似还可信。惜未能携变焦望远镜头，遥摄此绿雪奇观之彩像以饷世人耳。

金沙江上金龙桥

唐仿寅

在滇西北丽江与永胜两县之间，当中有条金沙江相隔，两岸较近处，水势急湍，就在此横跨一架索桥，原名梓里铁索桥，因地处长江上游的金沙江上，当时的整条长江还未建造大桥，因而有“万里长江第一桥”之美誉。此桥又名金龙桥，所谓金龙，是指铁索桥由此岸凌空飞越江面而达彼岸，从远处眺望，宛如金龙过江，十分壮观。

此桥是鹤庆人蒋宗汉(字炳堂)捐资建造。蒋在咸丰、同治间以军功历任腾越道(镇)、兴义镇、安顺镇后，光绪时升任贵州省提督任内，出资修建贵州大道、鹤阳书院和祠庙后，又修建梓里铁索桥。因蒋在金沙岸边作战时为敌方追赶，幸遇一舟得渡脱险，因而发誓修建此桥以利行人。

铁索桥建成后，两岸马帮、肩舆、挑担及行人，往来络绎不绝，载运土特产如瓷器、铁器、烟叶、辣子等产品，每日负荷不轻，铁索桥磨损历时已百余年，至今仍完好，足见铁索之粗壮坚固。当年造桥并无锻压设备，铁索全靠手工锻锤，同时也无牵引起重吊车。据乡先辈讲述，数百丈粗铁索渡江架桥是借江水浮力，用人力畜力拉船曳索渡江而达彼岸，足见劳动人民的智慧与技巧。

山茶之王在玉峰

罗养儒 遗著　李行健 整理

1943年春，杨绍儒君语于我曰：丽江之某一喇嘛寺(按即玉峰寺)中有红茶花一株，花之种类殊异：色若丹朱，瓣极繁密，花朵之大将及一饭碗口径，枝条亦软。树在寺之大殿天墀当中，其栽种处亦奇也。树身却不十分巨大，然亦是数百年物。

寺中僧人，将此树之枝条柯干节节握弯，编成一屋，高约及丈，阔大处则至丈余，前为门户，其他三面编织为花墙，树身即为此屋之中间站柱，中空处可坐数十人，顶成天然覆盖，可以挡骤雨、蔽骄阳。花开时，其艳丽处直不能以言语形容。据寺中喇嘛云，编造此座花屋，历经四十余年，始云告成，诚耗费功夫不小也，虽然今亦须随时修理之。噫！此一茶花丛中绝无仅有之一树！倘非喇嘛寺中之僧人，耐心养护，不能有此功力也！

玉峰寺坐落在玉龙雪山南麓，离县城十四公里。据志书记载，寺中大茶花种于明代成化年间，距今已有五百余年。树高仅丈余，但主茎有一人合抱般粗细。人称“万朵山茶”，每到立春初放，立夏花尽，七个节令一百多天中次第开放二十多批，每批千余朵，共二万余朵。该树花朵奇大，最大者盘大七寸，花种为“九心十八瓣”。每到花期，游人如潮，被誉为“山茶之王”。

五千岁的铁杉树

杨树高

云南丽江新主自然植物园内，有一棵巨大的铁杉，它是大自然中罕见的一大奇观。

这棵巨杉挺立于万木丛中，头顶蓝天白云，树冠像一把巨大绿伞，覆盖面积约一百平方米。主干犹如一堵褐色的墙壁，无论从哪个角度看都如此。那粗糙绽裂的龙鳞状树皮，宛如绘在这堵墙上的古老壁画。树干的直径是3.724米。主干在离地面约五六米处又分为三大支干，每一支干都有三四围粗。其中一支早已枯干，局部已腐化，而另外两支仍充满生机。更为壮观的是在巨大的腐枝上，寄生着五六棵不同品种的杜鹃花，它们高三五米不等，或直立、或倒垂、或斜卧，花色各异。还有一棵直径约30厘米高达10米的树也寄生在它的分杈处，其板状根裸露在外，奇兀突出。据有关资料推断，这棵巨大铁杉已有五千多岁高龄。台湾的“阿里山神木”只有

三千岁，河南嵩山中岳庙被汉武帝封为“大将军”、“二将军”的古柏，也只有二千七百年。这么高龄的树，是大自然创造的奇迹，它对于研究云南横断山区的生态、地形等变迁历史，具有重要的学术价值。

新主自然植物园内，除了这棵神木外，还有千余种高寒植物，其中有很多珍稀植物，如红豆杉、三尖杉、水青树等在这里还成片生长着。逶迤起伏的峰峦、飞流直下的瀑布、耸立高悬的绝壁、绿如翡翠的碧潭，还有争奇斗艳的各种高山花卉，再加上独特的风土人情以及古老的东巴文化，更显得美丽神秘，使这里成为一个令人神往的胜境。

黎明城允景洪

杨世光

去西双版纳的第一站，是其首府允景洪。西双版纳像绿玉皇冠，允景洪便是皇冠上的明珠。傣语“景洪”意即“黎明”，“允”为“首府”。其中有个美丽传说：这里原为泽国，水退后辟为富庶绿洲，森林中的恶魔十分眼红，抢走挂在椰子树上的夜明珠，人间失去光明。一位傣族勇士与恶魔搏斗七昼夜，将其掐死，夺回明珠，黎明重返，自此有了“景洪”美称。

黎明城历史悠久。傣历五四二年(1180),傣族首领帕雅真入主勐泐，在景洪建立景龙金殿国;元时设车里(景洪)路军民总管府;明代迭置车里军民府、车里军民宣慰司。公元1500年,景洪住户逾万,佛寺两百余座。1570年,宣慰刀应勐将其辖区划为十二(西双)个征赋单位——版纳(一千块田),“西双版纳”之称由是始。元明间,景洪经济繁荣,《西南夷风土记》载:“鱼盐之利,贸易之便,莫如车里。”但后来遭受外国入侵,“地方糜烂,村舍荡然”(《泐史》)。

黎明城是一座花园城镇,秀姿魅人。宽敞的大街在城中相交成壮观的绿十字，路旁楼厦林立,掩映于红花绿树中。热带异木油棕、青棕、蜜多罗、椰子、槟榔、芒果、贝叶、凤凰树……婆娑摇曳,夹道赛美,把全城装扮得金碧生辉。城中一泓孔雀湖,清碧可人,睡莲浮波。湖滨花园异葩争芳，时有孔雀开屏。着五彩筒裙的傣家女郎,袅袅婷婷,照面即投来一朵微笑,乍添一层情韵。出城两公里有花果寨曼听,其山林公园乃消夏佳境。园里新建一座佛塔,中心母塔如龙竹高冲云表,四周围拥八个多层葫芦形子塔,远看如一蓬生机盎然的玉笋,银辉夺目。据说因大勐龙曼飞龙塔离城七十公里，往观不便，故将其“缩微”在此。远来的澜沧江从城边流过,逢泼水节便在江边竞渡龙舟。跨江大桥如彩虹飞架,从桥下登客轮,江行至橄榄坝,版纳山川灵秀尽纳眼底矣!

千年古茶今仍存

玉　佳

云南普洱茶久负盛名，饮誉海内外，来到普洱方知普洱为茶叶加工集散地，普洱茶的主要产区在西双版纳勐海一带。这里岗峦起伏，气候温润，云蒸雾蔚，宜于茶叶生长。所产的茶叶色艳、味浓、耐泡，为传统名牌茶，明清时代，就作方物贡献宫廷，《红楼梦》中写到的“女儿茶”，便是其中的一种。及至近现代，已远销东南亚及欧美各国了。

当地人士带我们从允景洪乘车沿昆洛公路走，在距勐海十公里的地方，向南拐到南糯山古茶园，园里有一株“茶王树”，据说，经专家们的鉴定，这是人工栽培的古茶树，树龄已八百多年。当地人士还介绍说：科学工作者先后在勐海巴达山区发现一批野生大茶树，其中一株高32.12米，直径1米；另一株高34米，直径1.21米，经植物学家鉴定，已有一千七百多年了，相当于西晋时期的遗物。

记得唐代樊绰在《蛮书·管内物产》里就有“茶出银生城界诸山”的记载，从史、从物两方面均可确证云南茶叶生产历史的悠久，云南各族人民在很早以前就注意到经济作物的栽培了。

景真八角亭

杨世光

亭在西双版纳勐海县城西十六公里处的景代寨旁。它因呈八角状，且位于古代傣族军事首领真罕的领地景真而得名。从公路远眺，它耸立于菩提蓊郁的山峦之上，酷似一顶璀璨的王冠，据说系仿照释迦牟尼的金丝帽“长钟罩”建造的，八个角代表释氏身边的八个高僧。亭为砖木结构，通高22米，基座高2米，边长8.6米，呈折角方形。亭墙与基座皆砌作束腰状的须弥座。亭基分为三十一个面，成三十二个角，如彩色积木拼叠，精巧别致。亭室内墙分二十四面，四向有门，两扇大门分雕太阳花和双龙交尾。亭壁镶嵌彩色琉璃，异辉灼灼。上层楼阁更为奇特：采用“干栏式”建筑，由十二根十米长的横梁托着八角十层攒尖式圆锥状屋顶，由下至上逐层收缩，错落有致地组成连续的硬山式坡面，顶饰串字状伞状物。外铺琉璃平瓦，阁角置金鸡凤凰，并吊铜铃，风檐板壁间镶刻奇花异卉。整体壮观，瑰丽超群。门前木梯两侧塑二龙二狮，龙舞狮跃，神采飞动，引人入胜。

一位穿黄袈裟的佛爷告诉我，这佛亭是景真地区中心佛寺“瓦拉扎滩”的组成部分(另外还有寺、塔),是专供高僧受经、商议宗教事务和举行和尚晋升仪式的场所。据傣文景真史《博岗》载,此亭建于傣历一〇六三年(1701),由傣族高僧厅蚌叫主持,派人到泰、缅方胜观摩,寻得泰国景海佛亭图样,并请汉族匠师指导,精心营作而成,是傣汉人民智慧的结晶。

站在亭前环顾,东南面有流沙河,碧流潺潺,柳拂小桥,那是傣族著名悲剧《葫芦信》中景真公主殉情处;西面一湾景真灵湖,波光潋滟,是孔雀公主楠木诺娜七姐妹洗澡并与召树屯情恋之地。此情此景,使人恍觉步入了神话世界。

三江并流天下奇

丽宇

滇池秀美,为人钟爱;三江并流险奇,少为人知。金沙江(即长江上游)、澜沧江(境外称湄公河)、怒江(境外称萨尔温江),从青藏高原奔涌而出,进入滇西北,在横断山脉的钳制下,大致平行长驱南下,形成了奇特的"三江并流"的壮丽景观。

这里水奇。"三江"间最近处从怒江普拉底至金沙江的拖顶,直线距离仅 66.6 公里。其中怒江与澜沧江间仅一怒山山脉相隔,最近处直线距离只有 18.6 公里。而到碧江、石鼓一线,却又各走东西，至入海处，相距竟达3000公里之遥。形成帚形水系。有趣的是："三江"由东至西江面海拔逐次降低，在北纬27°附近，金沙江为2100米，澜沧江为1900米，怒江仅1600米。谷底，三江滔滔，奔流不息；山顶、坝区又镶嵌着许多秀丽的高原湖泊：高黎贡山上的听命湖，碧罗雪山上的干地依比湖、念比依比湖，中甸的碧塔海、属都海等等，晶莹秀澈，风光迷人。其间还有不少温泉群，如六库北的温泉群，澧涧温泉，中甸四村(浪登)温泉等等。

这里山雄。崇山峻岭，逶迤磅礴，雪峰层出，银光四射。梅里雪山主峰卡格博峰高6740米，为云南境内第一高峰，白茫雪山主峰高5429米，哈巴雪山高5396米，玉龙雪山高5596米，被当地人称为"宝鼎"。此外尚有碧罗雪山、察里雪山、迪龙雪山，更宗雪山等数十座。这些山峰高大陡峭，形成鲜明的立体气候和植被。谷底炎热，果木葱郁；山坡温凉，花俏草碧；山顶严寒，冰天雪地。万山丛中原始森林密布，古木参天，松萝满树，苍劲雄浑。

这里谷险。三江并流地段，多系水流湍急大峡谷。有的地方两岸山崖壁立，怪石峥嵘，看天一缝。有的断崖突现，瀑跌高坎，水花迸溅，风驰电掣般夺路而去。有的礁石密布，险滩相连，石怪水怒，险象环生。由于水流年复一年的切割，峡谷愈来愈深。其中怒江上游的齐那桶纳卡洛段两岸雪山高5000米至6000米，江面海拔

2000 米，山高谷幽，两岸危崖飞瀑众多；六库以南 45 公里处的双纳瓦底峡谷，谷口江水汹涌，水急浪高，尤以四滩景象最佳，至董巴底一带则平缓清澈，蓝天碧水，辉映峡谷。至于金沙江上的虎跳峡，更以“万仞绝壁万马奔，一线天盖一线江”，险奇称誉四方。

这里的风情美。在这块土地上生活着傈僳族、怒族、独龙族、纳西族、藏族、普米族、彝族、傣族、景颇族、汉族等十多个民族，各民族都有自己独特而古老的文化、风俗、节日，以及绚丽多彩的服饰、饮食、建筑，蕴藏着丰富的民族文化旅游资源。

这雄奇险奥的地区为多少中外人士所倾倒。抗日战争时期罗常培、马学良就曾就这里民族语言进行过研究；李霖灿对这里的东巴文化产生了浓厚的兴趣，写了一系列著作；美籍奥地利学者洛克从 1922 年起，在这一地区考察了二十七年，取得了丰富的成果。当然，这些都只是开始，更多的还有待后人发掘。

高黎贡山杜鹃王

云　崖

1919 年，英国人傅礼士(Forrest)窜入云南高黎贡山深处考察，发现了一株大树杜鹃，将其砍倒,截锯了一段辗转运到英国,陈列于大英博物馆,并于1926年在英国爱丁堡皇家植物园的刊物上公布了他的发现:树龄280年,树高25米,直径87厘米。珍稀国宝被掠夺,国人闻之,莫不深感愤慨。

有幸的是科学工作者在群众的协助下,在腾冲界头乡大塘村以北的高黎贡山腹,海拔2100米至2400米的地段约半平方公里的区域内,发现了大树杜鹃群落,胸径在1米以上者有十二株,其中一株高25米,基部直径3.07米,树冠达60平方米;又有一株胸径达1.55米。初步分析树龄在五百年以上。

大树杜鹃被发现时,我们适在腾冲,听说这一发现,便前往参观。只见葱郁茂密的森林里,高大的杜鹃王拔地而起,时值三月,正是花团锦簇,火树云霞;数十株高低不一的杜鹃竞放异彩,互相映衬,蔚为壮观。有人细数,有一花团有二十八朵小花,花团直径25厘米,不禁啧啧称奇。我强烈地感到:杜鹃花王,仍在中国!

石月亮

赵橹

怒江峡谷被誉为世界第二大峡谷。飞崖悬瀑,急流险滩,雄关隘道,溜索浮桥。两岸高黎贡

山和碧罗雪山对峙，高耸入云霄；许多奇峰异石，多属世所罕见，就中以福贡县利沙底的“亚哈巴”(傈僳语，意为“石月亮”)，最为美丽、神奇。

在海拔三千多米的高黎贡山峰巅，竟有一个通透峰体的椭圆形岩洞，大约一百平方米。人们在怒江谷底仰首看它，隔山见天，就仿佛高悬于天空的月亮。有时被云雾缭绕，忽隐忽现，频添月影婆娑之感。远在碧江山头，遥见纵横交错的层峦叠嶂间，高耸着的悬崖峭壁上，显现出一轮明月在徘徊，这神奇的景观，白天让人有日、月合璧之想，夜间更有双月孪生之妙。

腾冲大滚锅

许　明

出腾冲二十余里的悬岩巨石上，镌刻着“一泓热海”四个大字。这里有直径约五米的锅状水塘，水珠晶亮，滚动沸扬；白雾缕缕，蒸气腾腾。站立“锅”旁，顿觉热气扑面，混沌迷茫……这就是腾冲火山群有名的地热奇观——大滚锅。徐霞客当年游此时曾写道：“水从气中喷出，如有炉橐鼓风煽焰于下，犹如沸汤……”“锅”内系碱水，温度 90℃以上。据说一群水牛角斗，一头撞跌“锅”内，顷刻丧命。“锅”水含多种于人体有益的元素，“先蒸后浴”，能治风湿关节、皮肤、肠胃等疾病。

大滚锅旁，矗立着一座别致的石亭，为张文光先生殉难处。这位辛亥革命时期腾越起义的领袖、前滇西都督在此蒸浴时，不幸遇难。北洋政府国务院总理兼农商总长李根源先生悲愤万端，扼腕写下："东侯有苦杀西侯，热海血飞天亦愁，光复之功深海底，生生世世恨难休。"石亭上镌刻着飘逸潇洒的"瑞气氤氲第一汤，澡声洁白无双人"及"泽惠浴麟"的楹联、匾额，是对"大滚锅"名胜和张文光先生功勋的褒扬。

彝族的虎神节

刘健军

彝族，自称是“虎”的民族。彝族文化同虎有着很深的渊源关系，彝族敬虎为神灵。在鲜为人知的“虎神节”中，充分体现了彝族对虎的崇敬之情。

楚雄州双柏彝族聚居区法脿乡群众，从正月初七开始欢度为期八天的“虎神节”。

这天，根据传统方式，毕摩(彝族巫师)通过“打卦”，从十七八岁的年轻人中选出八人来作为虎神。他们用特制的毛毯作虎皮，披在身上，把脸和四肢画上虎斑，虎神便装扮成了。再配以两猫人，两山神，四鼓手，由一虎神带领，于是便“下凡”造福人类了。

村民们随着羊皮鼓的震耳声响和虎神的降临，男女老幼夺门而出，欢欣雀跃，在村中的土场上，人“神”尽兴同舞，从黄昏到深夜，天天如此。

“虎神”们通过原始舞蹈来形象地展现生命的起源和存在：“虎神”们在自己的舞姿中体现了生命的繁衍生息过程。还表演了从播种到收获的一系列农事活动，其中包括：农田初期施肥、播种、犁田、插秧、中耕管理、收割。通过表演，艺术地再现生产技能和农作程序。“虎神”们还要光临每一家，为人们祈祝清吉平安。

“虎神节”的最后一天，村民们怀着崇敬之情，依依不舍地将“虎神”从村子的西边送归自然。

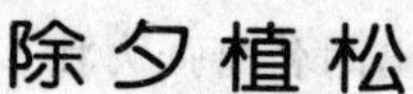

除夕植松

高立士

彝族密且人有春节栽松树的习俗。在除夕当天的早晨，家家户户要在天井里栽一棵大松树，树上贴一红符，上书“松柏长青春不老”七字。并在红符下捆一把松针，作为每日早晨插三炷香之用。选挖松树，十分讲究：松枝要茂，要有三至五台，每台发杈四至五枝，挖时要一人挖，两人扶，不能倒地，一枝不断，人不能跨，一个松尖(俗称松笔头)也不脱落。栽培时用腐质土拌水和泥仔细包裹好根部。栽后早晚浇水,使松叶长青。于是这株松树便作为家庭"人丁兴旺,清吉平安"的象征。

晒祖公

雷宏安

在富民、禄劝、武定等县的黑彝支系中,有一种三年一次的晒祖先偶像习俗。届时,由数村联合,携带香烛纸钱、瓜豆蔬菜之类供品,齐聚在高山密林之中的祖先洞前隆重祭祀。

人们清晨出发,马驮人背各种供品。等人众到齐后,便选出两名身强力壮、人品高尚的男人,带上红布和披毡,持香入洞,迎请祖先偶像。偶像或用青铜、白银制成,或用良木雕成,另有若干微型锄、犁、刀、碗等生产生活用具。入洞者毕恭毕敬,小心翼翼地用红布包上祖像,背出交给毕摩(巫师),用清水洗擦,再用细毛线拴作一排,放在羊毛毡上晾晒。先杀羊生献,煮熟再献。毕摩念经祭祖,众人虔诚叩拜,祭毕,又将祖先偶像包好送入洞中存放。平时,不许任何人接近山洞,以防冒犯神灵。

丽江县彝族丧俗

周克伟

丽江县彝族，在亲人去世时，朝天鸣放火药枪三响，以示报丧。其丧俗先为死者更衣，然后置放死者于木架横板上。捆绑在木架上的横木板，规定男用九块，女用七块。捆绑横木之麻绳，死者如为男性，搓捻时以逆时针方向；女则顺时针方向。然后将木架同尸体摆在房前屋檐左边。在上用蓝布、色布作帐顶，下用竹篾笆围成的“偏房”里，由一老者口唱《引路歌》，为死者超度亡魂。并根据死者生辰计算停放三五天后，择吉日出殡。

丧家孝男孝女不缠白布、不戴黑纱，也不执孝杖。出殡时，按死者生辰分东西南北择定方向，或远或近，进行火葬。火葬所用柴堆，男性九层，女性七层，由出殡的当天早晨派人堆好备用。出殡时，鸣枪数响，由四人抬尸，两人手持火把开路，数十人执白杆随后，杆系用鲜柳枝去皮制成。边走边呐喊，沿途不时鸣枪，一直送到葬场。火葬后，骨灰放置于竹林或悬崖。

丧家招待酒食甚简，一般只将猪肉砍成拳头大的坨坨，配以白酒和苦荞粑粑，每人一份，或蹲或站，或数人聚集一处就餐。

丧家虽不设专人收礼，但前来吊丧的亲友，或送钱，或送粮，以作奠仪，近亲则有送一两只羊以为礼品的。

婚礼前的“洗脚水”

杨适夫

世居剑川东山的白族姑娘，在结婚前夕，照例要举行“洗脚”礼。在正厅中央燃一对朱红蜡烛，旁边放一盆清洁的洗脚水。新娘由近亲眷属搀扶下楼，端坐于喜神方，准备洗脚，预示往后夫唱妇随，万事如意。

新娘在洗脚前，先要回答亲友们的提问，然后提出自己的要求。待心满意足后，新娘才愉快地把脚伸进水盆，由亲人们摆弄。洗脚水一般要换上四五次，寓意是勤脚快手，不新不旧，始终如一。洗脚的时间拖得很长，表示天长地久，依依不舍。亲友们在接受新娘请求后，根据各自的家境，分别馈赠以小羊羔、小牛犊、小母鸡之类的小家畜，而一般的财物则是不送的。这些馈赠的小家畜，结婚那天，随着迎亲和送亲的队伍，牵去新郎家中饲养，希望它们成长繁衍。如果这些牲口没有繁殖，新娘就被认为是懒婆娘。

新娘洗完脚后，“洗脚水”一定要倒出大门外，说明“嫁出门的女，泼出盆的水”。到了新郎家，是新生活的起点，要孝翁姑，团结妯娌，和睦邻居，和新郎互助互爱，共建幸福家庭。

白族丧俗“挤僰基问”

李缵绪

白族丧俗，当老人去世出殡的头天晚上，要在家里唱“挤僰基问”，即唱白语祭文。唱时，在灵堂摆上香案，孝子贤孙们全都跪于灵前。

白语祭文于发丧前数日，由死者家属带着请柬和礼品去请从事创作和吟唱的歌者来写。歌者同意后，即开始准备祭文。内容包括死者的生平、业绩、家史，一直从生唱到死。唱词是仿白族民歌体的韵文，有独特的唱腔，调子缓慢，抒情悲怆，以小唢呐伴奏。唱时，歌者可对死者及其家庭的人事情况作出公正如实的评价。按照传统习惯，对祭文的内容，死者家属事前不得干预，唱时不得阻止，事后不得报复。如死者一生勤恳劳动，为人正派，甚至为村民做了好事，就得到褒奖；如死者属于惨死，歌者就会淋漓尽致地加以描述，使听者声泪俱下；如死者生前受到虐待，歌者就会当众抨击虐待者的不是；如死者和家属以不义之财而致富，或为富不仁，欺压乡民，歌者也敢于当众揭露，弄得他们狼狈不堪。这实际上是用死者教育生者的一种特殊方式。

记得20世纪40年代初，在村里听过一次白语祭文。死者姓杨，祖辈家境贫寒，他儿子长大后当了土匪，发了横财致富，一家人在村里横行霸道，村民敢怒而不敢言。后其父死了，唱祭文那天晚上，歌者把他家那见不得人的家史统统抖了出来，唱得子孙们头都抬不起来，心里很不高兴，但又无可奈何。

别具情趣的祭鸟节

木　者

鹤庆县西山白族人民，每年清明节，必穿节日盛装，带上橡子果、炒燕麦、炒荞粒、小昆虫等鸟类饲料入山喂鸟。有的唱白族民歌，有的吹奏唢呐，多数人则列队表演一种载歌载舞的“打歌”。大家一起绕山穿林，为鸟喂食。唱的内容多是鸟类给人类带来幸福及对美好生活祝愿。鸟群见人们向它抛撒食物，即成群飞来觅食。祭鸟节期间，禁止捕杀鸟类，禁止在山林生火和煮饭。参加者只能带熟食当午饭，有如寒食遗风。

此节来源，据传是，西山白族原来不会种庄稼，生活很困苦。“林音山神”知道后，就命令他的二十四个儿子变成二十四只候鸟如布谷鸟等，教人们按季节耕种收获，即掌握农历一年二十四节气的关键时刻，进行播种、追肥、收获。从此,庄稼逐年获得丰收,人们过上好日子。山民为感激鸟类,便相约上山给鸟喂食。天长日久,竟成佳节。

此俗至今犹存,颇具现实意义。节日来源虽属传说,但却是古人关于生态学的一种朴素见解或理论——鸟类给人类带来幸福,所以要爱护鸟类。古人虽未立社会生态学之名,但却深知人类生存、发展与大自然密切相关,所以想出种种办法来协调人与大自然的关系。诸如“祭鸟节”之类的节日或习俗,各个民族都有,其中沉淀着古人有关生态学的极丰富的知识。

插 秧 赛

杨适夫

“一犁膏雨万秧肥,野展红旗驻夕晖”。每当小满、芒种、夏至的农忙日子,剑川甸南白族人民,都以自然村为单位,组织“插秧赛”,进行集体互助栽秧。制大红旗一面,饰以雉鸡尾羽、狐狸尾、双飘带、五彩缨穗,嵌上火焰边,极其庄严美观。推选若干人为赛官,调度人工,指挥插秧。早晨鸣锣三遍,第一锣,催起床;第二锣,促开饭;第三锣,召出工。按劳力强弱,技术熟练程度,分工为男、女、童三等,工酬稍有差别。拨工要适当组织搭配。拔秧和捆秧,都要较量高低,叫"夺魁首"。优胜者得纸烟、红糖等奖励。插秧时,男女歌手们对唱白族情歌以助兴。大家听得忘却疲劳,故进度很快。插秧任务完成后,如太阳未落,叫"早闲",就进行赛跑,叫"跑远",两人背道而驰,绕田埂三圈,以先到者为胜。最后,主人献糖酒、炒蚕豆致谢。若遇芒种日,就把主人家的饭勺、盐臼、杵棒偷出栽在田中,象征着"芒种栽植,易生易长;百栽百活,饭勺开花"。这一天,赍官的锣锤被人偷走,须用烟和糖赎回,不许另制一根以代替。如果当天天晴不下雨,要淹赍官,给他戴上柳条帽,坐上柳花轿,丢进水池里,大家向他泼水欢呼,乐趣无穷。栽插完毕,散赍聚餐,收补工钱,又有一段小农闲。

"本主"和"本主节"

李缵绪

"本主"为本境之主简称,是原始村社的保护神, 为白族人民的一种特殊信仰。凡白族村寨,都有自己的"本主"。有些"本主"是单个的,但大多数是成谱系的。洱海区域的"本主"神祇中,最大的"本主"是"中央本主"(又称神中之神)。其下有"九坛神"即九个"本主",往下有"十八坛神"即十八个"本主",然后有"七十二坛景帝",即七十二个本主,最下面是"五百神王"。这些“本主”中，有自然崇拜的神祇，如天神、日神、苍山神等；有图腾崇拜的神祇，如龙王、金鸡、凤凰女神等；有祖先崇拜的神祇，如湖南桑植县的先祖谷万钧、王鹏凯、钟千一等；有英雄崇拜的神祇，如猎神杜朝选、抗暴女英雄柏洁圣妃等；有南诏、大理国的统治者，如细奴罗、段思平、段宗榜等；有汉族及其他民族的历史人物，如诸葛亮、李宓、郑回等。每年在本村“本主”生辰或忌日，村中要举行隆重集会，人们敲锣打鼓，到“本主”庙用花轿或木轮大车把“本主”接到村中公房内，在公房前的广场耍龙灯、狮灯，踩高跷，唱乡戏，共庆“本主”寿辰，祈求“本主”保佑村民四季平安，风调雨顺，六畜兴旺。

千百年来，以“本主”崇拜为中心，形成了一整套宗教、习俗、服饰、乐舞、饮食等文化，通过对“本主”文化的研究，可以看到古代白族的意识形态、审美情趣和心理状态，对研究白族历史和现状有重要的价值。

白族祭品甲马纸

李缵绪

白族巫教有一种祭祀用品，名叫“甲马纸”，或“追魂甲马”。用棉纸印刷，约长五寸，宽三寸，四周有花边，正面印有巫教、佛教、道教的各种神祇的图像。这种祭品，种类繁多，除此而外，尚有“上刀纸”，“还愿纸”、“谢水纸”、“木器纸”、“五方纸”、“土器纸”、“替身纸”、“下坛纸”、“花神纸”、“白虎纸”、“扫荡纸”、“喜神纸”、“灶君纸”、“月宫纸”、“家神纸”、“总圣纸”、“送岁纸”、“封门纸”、“万贯钱”、“地藏包”、“经咒”等。各种祭祀仪式，各有专用的甲马纸。故纸上的图案，也因祭祀的对象、场合不同而各异。比如，“替身纸”在祭祀“本主”或龙王时焚化，上印穿白族古装的男像或女像，表示让他(她)代替祭祀者去为“本主”或龙王服役。“月宫纸”在中秋节祭月时焚化，上印月宫、嫦娥图案。“下坛纸”在上刀杆、烧白牒、迎“本主”的仪式上焚化，上印裸体人像、蛇首人身、交欢姿势的图案，等等。

甲马纸是适应宗教需要而产生的一种特殊艺术。它生动地再现了古代白族的图腾崇拜、“本主”崇拜，对佛教和道教的信仰，以及各种宗教的关系，还可从中窥见古代人们的生产、生活、习俗、禁忌、巫术、咒语等若干侧面，实为一种别致的宗教艺术。

报春的神鸟

老贝玛

当春天到来，“布谷”声声的时候，哈尼族青年男女、老人，脸上立即现出喜悦的神情，对着布谷鸟欢呼："我们听见了，天神之女呵！你的美的声音我们已经听到，我们喜欢！"接着，哈尼族山山寨寨的春耕大忙季节就从此开始，遍及哀牢山脉大地。

布谷鸟是哈尼族崇拜的三种春鸟之一，其他为阳雀、唧唧本本鸟(水边小鸟)。传说三春鸟都是天神之女，平时天神把它们珍藏在天宫神殿的三只宝箱里，每天有专门的神祇喂以金水、银水和宝石水。春天时天神开箱，派她们把春之讯息带到人间。哈尼族世代以四季花木的枯荣和候鸟的往还来判断农时季节以安排生产。

当放牛娃第一次听见布谷鸟声，便立即跑回村寨向大人报告，大人就让孩子们一起上山倾听，确认是布谷鸟在叫，就要扬声欢呼回答，以示对天神之女的尊敬。

三神鸟中布谷最重要。传说布谷鸟受天神之托，第一次从遥远天边的岩洞飞来，飞越大海时，已精疲力竭。这时龙王伸出尾巴，变成一棵枝叶繁茂的大树让布谷鸟休息，后来布谷鸟才得以越海，来到哈尼族居住的哀牢山。因为它特别辛苦，功劳最大，所以人们在听到它的叫声之后，要在一个属羊的日子过"里玛祖"(献布谷)节，家家备办美味佳肴，用黄饭花染黄糯米饭，煮出数十个红鸡蛋，献给布谷鸟。献毕，老人们相聚安排一年农事，年轻人则趁机谈情说爱。节日的第二天清早，趁鸟儿尚未出窠，山野一片静寂，人们将三丛秧苗插入田中，春播便拉开了序幕。

泼水节的白象舞

杨多立

在泼水节前夕，瑞丽县勐卯镇的三保家小院，电灯照耀如同白昼，全寨男女青年都拥到这里，破竹破篾，彩扎出一只大白象，以备次日过节跳白象舞。

象是傣家的吉祥物，白象舞是为了祝年祈福。此俗流传至今已有四百多年历史。据说从前勐卯经常受到四邻强国侵凌，连王后都差点被掳为奴。一位智者告知国王，森林中有位乘白象的猎人，只有他能战胜强敌。国王前往求援，猎人以战胜后国王当为其牵象巡游三天作为条件。国王答应后，果如所言，国王大胜，而国王羞为猎人牵象，猎人乃愤然离去。后敌兵又至，情势危急，这时猎人闻讯赶来，打退强敌，勐卯国得以转危为安。于是国人便跳起白象舞以感怀猎人。

泼水节上，彩扎的大白象比人还高，披锦挂彩，数十面小圆镜缀满全身，在阳光中闪射出耀眼光彩。象前一小卜少(少女)端着银盆，内盛掺香清水，在乡亲们"水、水、水"的祝福声中，象鼻不时伸进盆中吸水向人群喷洒，刹那间，道道彩虹飞起，舞象的草坪上异香扑鼻。

花腰傣的平顶房

陈　怡

傣族民居，多为掩映在凤尾竹丛中的小竹楼。然而在元江一带花腰傣居住的房舍，却是平顶房，俗称“土掌房”，颇具特色。远远望去，斜坡上的平顶房错落有致，有似梯阶。伴着缕缕炊烟，只见人们几乎都坐在屋顶上吃早饭。串门时，甲家与乙家相通，不是从地面上绕着屋子进门，而是从屋顶上跨越过去。于是屋顶成了宽广的空中通道，四通八达，几乎都是直线距离，方便得很。但陌生人，却不知下哪一把梯子是到哪一家。

这种平顶房，自有它的妙处：一是厚实，冬暖夏凉，墙是用土坯砌成的，屋顶大梁置墙上，梁上再铺木条、竹子，最后再铺土，洒水捶抿即成；二是充分利用了空间，由于山坡平地有限，要利用屋顶做天然晒谷场；三是牢固，经济实惠，一般至少可住十年。

这种平顶房，屋内的构造奇特，串门首先进入中间一层，在东面开个口，放一把梯子通下层；西面开个口，放一把梯子通上层屋顶；墙半中开个门，再架把梯子，又可从外面直接进入二楼。两屋之间相对的门，用木板搭上，直接从空中过去，真是四通八达。可惜屋内光线微暗，是个缺点。

元江中午的太阳火辣辣的，我找不到自己的影子，也辨不清东南西北。在老乡家中，人们七上八下，弄得晕头转向，出了屋子，竟找不到出村的方向。经小孩左引右导，结果还是没有走出村，最后又走到了原地。住久，熟了就很方便了。

五彩饭

思　慧

在云南曲靖、师宗和文山壮族居住区，当每年三月初三，是传统佳节。村村寨寨都爱杀猪宰羊，蒸制香味可口的“五彩饭”食用。

五彩饭是以糯米为本色，加上品红、紫色、姜黄、黑色而形成五彩，故名。四种染料，都是就地取材。品红用旱稔米果泡水；紫色用红兰草切碎，炒到半熟泡水；黄色用姜煮水；黑色则用枫树之叶、皮切碎冲烂煮水。四色俱备后，分别将糯米放入水中浸泡定色，再合而蒸制；便做成了以白为主而五彩缤纷之饭，先作祭品，敬献神灵祖先，祭毕，用蜂蜜、红糖、腊肉、生姜、肉片佐食，美妙可口。它是待宾客、赠亲友、祭祖献神的上品，千百年来民间盛行不衰，形成了壮族独特的饮食风味。

以鼷鼠求婚

和钟华

生活在滇南一带的拉祜族支系的苦聪人，有一种饶有意味的传统求亲习俗。

当某一小伙子相中了某位姑娘，要与她结为对象时，得先以自己亲手射来的鼷鼠(即飞鼠)献给女方的父母，取得青睐才行。鼷鼠是一种生活在原始森林中的鼠类，行动敏捷机灵，很不易捕获。当地有“虎熊豺狼不难捉，小小鼷鼠难捕捉”的俗谚，故射到鼷鼠标志着一个青年的勇敢机智。父母为女儿择婿，自然要选择本领高强的人。有的苦聪小伙，到了结婚年龄，一直找不到结婚对象，就因为没有猎到一只鼷鼠。

独特的交易形式

和钟华

金平县拉祜支系苦聪人，在进行产品交易时，往往背着兽皮、松鼠干、野蜂蜜、编织物之类，去到哈尼、苗或傣等民族村寨外，把东西排放在大路旁，自己则躲到附近林丛草堆中张弓等候着。村中人外出看见路旁什物,就知道是苦聪弟兄来换东西了。他们拿来食盐、铁器具、衣物等，排放于大路的另一侧，也找个地方躲起来。当苦聪人走出来,并把食盐等物取走,他们也走出来取走苦聪人放下的货物。这样,一次独特的商品交换就进行完了。至于苦聪人身带利箭,显然是对着那种只要他人之物,自己则一毛不拔的小人的,至于所交换物品是否等价,他们双方都不在乎,反正,以所有换所需,情理所在。

傣家人的默商,另有耐人寻味之处。有一种形式是有买主无卖主:每当瓜果成熟季节,路人过瓜果园,可以自己动手去采摘,吃后将钱放于地里或树下就行。另有一种是有卖主无买主:农忙季节,人们下地干活,若需买油,就将钱压于空瓶下,放在家中竹楼上,卖油者逐户将油倒入瓶内,取走钱。若主人忘了压钱,卖者照样将油倒满空瓶,下次来,主人会一并付清。看来,诚实的傣家人，他们的商品交易是建立在相互信任的基础上的。

苦聪人攀崖采蜜

杨应康

位于新平、镇沅交界的哀牢山深处,不仅林

密箐深，且多悬崖陡壁，崖间倾泻瀑布有高达百多米者，形成壮丽景观。在崖壁间有一种体型较大的蜜蜂，苦聪人称之为“岩蜂”。岩蜂有独特的生活方式，它们辛苦奔忙，采花酿蜜。入冬，就纷纷忙着飞走，另辟天地，次年春天又飞回来。据苦聪人说，岩蜂搬家飞出后，巢内留蜜可达百把斤到几百斤。有的蜂巢大得像一堵墙，有的如垂挂之钟乳石。取蜂蜜加工分解，仅蜂蜡就可得几十斤至一百斤。有时，只要用棍子戳几下蜂巢，便自动流下晶莹之蜜，地下置一坛便可接获。

乘岩蜂冬去春来之际，苦聪人便抓住时机集体相约攀崖割蜜。由于崖壁甚高，离地十多丈甚至四五十丈，勇敢的苦聪人想尽各种办法，从高岩顶上顺崖壁放下一根粗绳，顺壁沿绳爬下去，或砍几棵龙竹如梯子一般靠在崖壁上，顺竹往上爬。每去一次，多能装满他们带去的箩、筐、桶、罐，再装入粗大的竹筒里，赶集销售。另留一部分在家，当客人来访时，他们就用大饭勺舀出，盛入碗中，招待客人。

葫芦笙响星月舞

张昆华

佤族盛大歌舞莫过于“克绕易”，汉语意译为打歌或踏歌，是最古老的集体舞。在佤历三月下旬、农历正月初举行“考窝”，即佤族过大年时，可通宵达旦持续三五天，其神妙魅力，正如民歌所形容的：“里三脚、外三脚，跳起黄灰做得药。”在佤山腹地沧源的帕良寨，打歌场还沿袭传统习俗烧起篝火，场中竖立着青松、芭蕉树、甘蔗扎成的团结树，一品红、白露花、董棕果、芦苇穗，把团结树装扮得五彩缤纷。树下的竹篾桌上摆着芭蕉果、糯米粑粑、茶叶、烟草，象征着果实累累，粮草丰收。打歌场四周的山坡台地早已布满穿着节日盛装的佤族群众。腰挎长刀的男人们，大都裹着红布或青布包头，头上插着鹰翎或白鹇鸟羽毛，以显英武气概；女人们下着织有红边的短裙，胸前佩带银项圈、头上插着桃枝、喜鹊花、麻栗花而各呈美色。春天的芬芳气息，弥漫在打歌场上。

寨子里最有威望的一位老人，在团结树前念念有词地用水酒祭过祖先和寨神，才以双手捧葫芦笙吹出节奏鲜明的舞曲：萨噜噜，噜噜，萨噜噜……

民间传说，小米雀啄开葫芦，阿佤始祖才从葫芦里走出来。因而葫芦笙的音响，便是母亲的歌唱。顿时，人们手拉着手，先是在原地踏起舞步，身肢上下俯仰，这是生命力的启动。随着吹葫芦笙老人的引舞，旋转，队伍像条条溪水潺潺奔流。来客情不自禁地投入打歌行列，左右互牵，有老人挎猎枪的，有妇女背负孩子的，舞步渐渐趋向狂热，全寨男女老少都卷入打歌浪潮，几百人汇成的舞的旋涡激动了阿佤山。黄灰飞腾，夜空渐渐低垂，星星和月亮在女人们的银项圈上和男人们的红包头上跳动、闪耀……

打歌使人与人更加亲近，人与自然更加和谐了。

棒棒会

和国才

农历正月十五，是丽江纳西族的民族传统节日“棒棒会”。原称“弥老会”，是明清时木氏土司召集各寺喇嘛，在狮子山下的玉皇阁念经，带禽兽面具跳神，超度祖先的盛会。清雍正元年(1723)改土归流后，逐渐形成为交流竹木农具的大集市。

所谓“棒棒会”，那真是名副其实。这一天，竹木农具、花、鸟、药材、各种棍棍棒棒、丫丫杈杈、竹条竹竿，应有尽有，一大早就源源上市，把个丽江古城大研镇的各条街道，挤得水泄不通。

农民们在这一天随心所欲地选购，互相交流。男人们多是选购一些锄把、斧柄、犁头，而妇女们则欣赏自己心爱的箩呀筐呵等精制的竹器。爱好钓鱼的小伙子们也趁此机会选购一些做钓竿的竹竿，选好后，肩扛竹竿在人流中穿来拐去。还故意爱在姑娘面前“表露”一下，姑娘们则以“扛竹竿进城，直来直去”的心理，嘲笑小伙子的憨厚，惹来一串串清脆的欢声笑语。

勤劳爱美的纳西人民，是热爱生活和鲜花的。纳西人的住家，不管是四合五天井，还是三方一照壁的庭院里，总是花木常青，幽香袭人。房前屋后也是果实累累，别有一番情趣。为此，花鸟虫草的交易也占据着一定的棒棒会市场。丽江花卉、果木品种繁多，果苗有丽江有名的梨、苹果等四十多个品种。花卉有垂丝海棠、茶花、杜鹃、十里香(含笑)等几十个品种。这些花卉适在此时竞相争艳，给整个节日增添了热烈气氛。有造型优美的花卉盆景：贴梗海棠像一盆盆燃烧着的火，茶花，红的热烈，粉的像年青姑娘的脸蛋，白的像玉龙的洁白。造型则有“孔雀开屏”、“锦鸡独立”、“双人舞”、“争春”……数不胜数，使得人们目迷五色，陶醉在花的世界。

棒棒会实际上是一次为春耕生产准备各种农具、美化家园、装点庭院的节日。人们刚过了春节，新的一年开始了，趁此良机，备好农具，美化家园，装点庭院，准备着春耕大忙时节的到来。

婴儿满月寄厚望

四　荣

丽江纳西族婴儿出生满月，或周岁做生日的第一件事，不重请客筵宴，接礼受仪，而是上街买笔、墨、纸本。

当天，母亲长辈将婴儿洗浴干净，涂上香油、水粉，换上绿衣，打扮得像一朵吐蕾含苞的鲜花，请一个眉清目秀、招人喜欢的姑娘，用崭新的灯芯绒或绣花背衫、毛织的红背带，背上婴儿，围上彩虹般“牛肋巴”图案小被子，欢唱着迈出家门，越阡度陌，穿街过巷，到附近热闹集镇文具店，为婴儿买回毛笔、墨盒、香墨、习字的描红本或作业本。过去，还得买一本丽江刻印的《三字经》。这便是亲长给婴儿的礼品、宝物。归家，极其郑重地珍藏于箱子里，待婴儿长大发蒙时，便拿出来授与这小主人，认真进行启蒙教育，扎正根子，打稳第一块基石。

此俗起于远古而又历久未废，反映纳西老百姓盼望儿女长大成为有文化知识的人。据教育部门统计：纳西族有大学程度的人数居全国少数民族之首，原是有历史渊源的。

牦 牛 舞

安 定

在白雪皑皑的玉龙山下，每当祭天祭祖节日，纳西族“东巴祭师”，都头戴“五佛冠”，身穿金黄、墨绿、紫玉等各色锦缎长袍，踏着嘹亮舒缓的鼓点，在各种乐器伴奏声中，跳起刚劲雄健的牦牛舞。

舞队时而排成雁阵,抖耸双肩,时而纵体奔驰追逐,直骋青畴绿野;时而伏地翻滚;时而扬蹄跨跃;时而抵牾嬉戏,似斗而势均力敌。一组组妙趣横生,别具特色的造型动作,不仅有雕塑般的静态美和旋风转篷般的动态美,而且把牦牛打滚、憩戏、欢跳、啮草、顶角各种情态,模拟得活灵活现,反映了纳西族对牦牛崇拜、爱护的心理。

牦牛舞的来历,《东巴经》记载了一段美丽传说:"开天辟地时,出了一条神牛,它的角太长,会把天顶垮;它的蹄太重,会把地踩塌;它眨眼睛,好像电光闪;它伸舌汲水,好似长虹吸大江。"神牛很骄横,但终被纳西祖先征服。于是神牛的"头变为天,皮变为地,肺变成太阳,肝变作月亮,肠变作道路,骨成岩石,肉成泥土,毛变作青草"。

千百年来,纳西祖先就是如此把天地形成、万物起源的奇思妙想,倾注在《东巴经》文中,具体于独具特色的牦牛舞里,表现出驯化动物,追求美好生活的强烈愿望。

网 猎

老 牛

纳西族《东巴经·崇般图》中记述:猎人从忍

利恩到天上求婚，遭到天神朱劳阿普各种刁难，并想害死他。天神设计叫从忍利恩到高山捕岩羊，想将他踢下高岩致死，从忍利恩揣知天神用心，佯睡在天神脚旁，等天神熟睡后，用披毡裹一大石代替自己，放置在天神脚下，然后，自己迅速跑到岩下设好猎网，等在侧边。夜半，天神醒来，照计把毡裹石当作从忍利恩猛踢下岩，滚石巨响如雷，惊得岩羊都跳到网里。从忍利恩不仅大难不死，还猎获了岩羊……。经书中记述和描绘了古代狩猎情况，至今在丽江六区大东的阿老山下，还保留着以网狩猎的古老方式。阿老山区的纳西人，在农闲时，结队六七人，肩扛宽三尺、长六尺、孔约三寸的粗麻绳编成的网上山网猎。

一进深山老林，根据兽迹蹄印，再找到麂子出入的垭口，便把数网相接，设于垭口，两人隐于附近树丛，待野兽落网时出来捉拿。一人则沿蹄印去向，到网对面山头放纵猎狗，另两三人则到两边山头，听到狗追撵野兽的叫声时，大声呼叫。在后有狗追，两侧有人呼喊的情况下，麂子等猎物惊得一个劲往前跑，终于落网。隐伏者一跃而起，逮住麂子等猎物。宰后先剥皮，剖出心肝肚杂，首奖猎狗，即时找柴生火，烧烤鲜嫩麂肉，围火斟酒佐食，格外香美。

祭神驱鬼的东巴画

雷宏安

东巴画是纳西族一种突出的宗教图画，盛行于滇西北的丽江、中甸、石鼓、俄牙等地。东巴巫师为了祭神驱鬼，祈求五谷丰收、六畜兴旺、祖灵安泰……大量制作东巴画，或挂于神坛，或插在树上。画用竹笔着烟墨或着彩色，绘于厚纸、木片、木板或土布上。分竹笔画、长轴画、装饰画三种。竹笔画又有纸牌画、木牌画之别。纸牌画多用于占卜，或挂在祭台上。木牌画又称“课标”，每逢祭龙、祭风、祭天时插于祭台两侧，多则六七十块，少者二三十块，极为壮观。木牌画中之平头画不着色，绘牛马鸡犬、凶神恶煞等。另有十二属相木牌画，挂在树上作“招魂”之用。长卷轴画称“普劳幛”，又分长卷、多幅、单幅等种。其中以神路图最为壮观。此图为东巴画的一种，俗称“黑日平”(汉语记音)，一般长可三四丈，宽一尺，绘十八层地狱及三十三天神鬼三百三十多个形象，附有七十多种怪兽。最长者竟达五六丈，鬼神多至七百多个。此图用于超度亡灵时铺于棺木前面，作为引导亡灵通过地狱而顺利回归天上。

东巴画内容虽多属封建迷信，但在艺术上

的特点是线条古朴流畅，设色厚重，构图精巧，布局谨严，极度夸张而形象生动。

牛毛信

思　敏

在滇缅边境的盈江县，景颇族的小山支系，有一种用带毛牛肉传递信息的独特习俗，称为“牛毛信”。此信需要在举行“木脑节”(景颇语为“跳嘎”)时或有重大事件发生需通闻决定时才发出，以示紧急重要。

届时，主持人请巫师(“洞萨”)念经后，再杀水牛一头，将牛肉连皮带毛切成若干小块。连夜派出身强力壮者，携带牛肉分发给所属同族支系各村寨首领，邀集全寨老幼按时赴会。各寨接信后，即通知所属携带米酒、盐、茶、红糖、草烟，青壮年则背上长刀，火枪，妇女则打扮一新，一齐赴约。当夜，各寨首领齐聚主持人家中，边饮酒边商议，直到作出相应决议。青年们则唱歌跳舞，通宵达旦。

蕉叶信

志诚

旧时，在滇西盈江、陇川一带，景颇族村寨都有“公房”。每当月白风清、夜阑人静之时，男女青年便在火塘边亲密相聚，倾吐心迹。在离别时，小伙子将一个彩线缠绕的芭蕉叶包塞进姑娘衣袋。姑娘回到家中悄悄打开，若包着芦子、浪诺(草药)、野荞叶、石根哈、益策等物，姑娘便会心潮澎湃，陶醉在幸福的喜悦中，因为这些植物花草表示爱情的真诚牢固；若包的是一根小针或一只蜜蜂，说明对方需要深思熟虑，愿与情人再次相会；若包的只是浪诺，则表明情人愿与自己走遍天涯海角，永不分离。芭蕉叶包的东西多达七十余种，每种都有特殊的含意，这是景颇族借物传情、表达心意、传递爱情信息的特殊方式。

普米族打媒、锁媒婚俗

中华

打媒人和锁媒人是普米族婚礼的奇特风

俗。

当媒人带着迎亲队伍来到新娘家时，新娘的父母要用细树条打媒人的耳朵，并在火塘边烤媒人。主人还要边打边骂，媒人则连连求饶。人们说，这是父母以“打”表示对媒人的感谢。

另外，在接亲队伍接走新娘时，新娘家人要把媒人锁进一间屋子，让他与屋外的歌手对唱，只有把对方提出的问题都答对了，才开锁放他追赶迎亲队伍，否则被罚酒后才准离开。

以“打”表示谢媒，以“锁”考试媒人的才华，或许还含有不许轻而易举地娶走自己女儿的意蕴。

德昂姑娘的腰围圈

宏　盛

居住在滇西潞西县三台山、西山及梁河县的德昂族姑娘，有一种独特的腰饰。她们到了成熟年龄，腰部就会出现一些别致的彩色腰圈，少则五六个，多则十几个。

腰圈用藤篾制成，刻有各种花纹，漆着红黑两色。有的还镶上银、铝图案，套在腰间闪闪发光。除有相似于项圈、耳环、手镯等的装饰审美价值以外，还标志着姑娘爱情的历程。因为腰圈是谈爱时小伙子所赠，腰圈越多，越表明这位姑娘聪明可爱，受到小伙子的敬爱。

德昂族的茶礼

桑耀华

德昂族有“古老茶农”之誉，在他们的《创世史诗》中，称自己是茶叶的子孙。德昂族的这种拜物图腾，生动地反映出该族在历史上是种茶能手。德昂人不论办什么事都离不开茶，茶叶代表着他们的礼节和文化。有茶叶才能代表“茶到意到”。探亲访友，见面礼是茶叶，客人进门，首先要烧水煨茶，茶比吃饭重要。男方向女方求婚，送的礼就是一包茶叶。婚丧嫁娶，以小包茶叶象征请柬，邀请亲友光临；做了错事，要求得到对方谅解，也得先送一包茶叶，才能表明愿意悔改的诚意。若是送财物反而坏事，因为对方会认为送物人没有诚意。茶叶是德昂人的命脉，“一包茶叶表深情”，早为德昂人的传统习俗。

竹茶罐

桑耀华

云南边疆民族地区，田头地角或野箐竹林，随处可见到竹茶罐。茶又是许多兄弟民族喜爱的饮料，人们外出上路或下地劳动，只要带上点茶叶，在路边或田头砍一段竹筒，盛入清水，找些干柴生火，把竹筒斜立于火堆上侧，待水煮沸，将茶叶投入略煮一下，即可倒出饮用。茶杯也可以是段竹筒。这种竹制茶罐、茶杯，在景颇、德昂等族中都很流行。

这种因地制宜的特殊茶具，为别地所罕见。

剽牛趣话

雷宏安

在云南的独龙族、怒族、阿昌族、佤族、傣族和景颇族中，自古便有剽牛习俗。剽牛活动精彩热烈，妙趣横生。云南出土的古青铜器上，早就有剽牛造型图案。

剽牛是当战争降临，或每逢年节盛会时才

举行。各族都要选膘肥体壮、毛色光滑、四蹄匀称、顶角如弓的黄牛或水牛，作为大“牺牲”，以敬献神灵，祈求风调雨顺，五谷丰登，刀兵息止，村寨祥和幸福。

独龙人剽牛时，先由节日主持人将牛拴在粗木桩上，继由年轻妇女用麻布一方覆盖牛身，并于牛角上挂缀珠链。接着请父母双全的男青年猛刺牛肋，使用的武器则是尖锐的竹矛而非利刃钢刀。动手刺时，四围人众便敲锣打鼓，引吭高歌，纵情欢跳。牛一倒地，就有人上前立即解剖，连皮带肉平均分配每人一份。

傣族择属龙日剽牛，届时，于大青树下树竖起一高杆，杆顶扎上竹篾“班达”，把牛拴在粗树桩，先由主祭人虔诚祷告：“红公鸡已啼叫，金孔雀开屏了。威风凛凛的神呵，驾着飞龙来吧!我们用玉盘装满佳肴，用金杯盛满美酒，连同壮牛献上，保佑我寨安宁，牛羊满厩，粮食丰收，老人长寿。”祷毕，剽手操起铁矛刺向牛心。若为打仗而剽牛，牛头倒向敌方，则认为“战必胜”。牛肉按等级分配：土司十斤，勐长与头人各得斤半，剩余大家平分，与独龙族又不相同。

景颇族人在“木脑”节剽牛，先请“魔头”念经。魔头边念边将清水用小木筒洒在牛脊背上。念完经，剽手迅即举起竹矛刺向牛肋，牛血涌出，再刺几下，牛不支倒地，剽手即将牛皮剥下，取牛头、牛心、牛肝及腿各一块，切碎包成九包，交给魔头祭天鬼。牛肉煮熟后，归众人分食，饮酒作乐，通宵达旦。

克木人的铜鼓

质　金

克木人的铜鼓，自称是由祖先传下来的。如勐腊县勐满镇曼銮养的一具铜鼓。鼓面有四组三蛙相叠的纹饰，相传已有二十余代之久。

克木人铜鼓属村寨所有，由老户保存。主要用于祭祀氏族祖先：每三年大祭一次，在秋后举行，由族长主持，历时三天，邀请同族及亲戚参加。举行仪式之余，喝酒跳舞为乐。跳舞时，以铜鼓作伴奏。其次，求雨和贺新房也用铜鼓，击铜鼓时必须与铓锣、铜钹同奏，均由妇女进行，她们席地而坐，边击边唱；男子则踏着铜鼓的节拍，跳起长刀舞及拳舞。鼓声咚咚，歌声悠扬，妇女的唱腔及男子舞姿风格与傣族不同，均是蹲着进行，很有特点。

克木人的婚俗

丽　卿

克木人的姓氏按性别递沿，即男随父而女随母。同姓不能通婚，但同父母子女、哥弟的儿子与姐妹的女儿虽不同姓，应视为近亲，也不准通婚；惟哥哥的姑娘与妹妹的儿子则视为远亲，却可通婚。对此，似有重长房重男性的倾斜内容，对血缘就不太强调了。

若违反禁忌不听劝阻而通婚者，被视为猪狗，要举行特殊仪式方许成婚：一要杀羊祭寨神，祈求消灾免难；二要新郎新娘四肢落地，学猪狗趴着哼着等待，由一老人口念咒语，手持斧头在两人之间向下一劈，将猪槽内谷糠分成两半，两人即爬向槽头吃糠。

克木人婚后实行"从妻居"，由男方杀送一猪到女方家宴请宾客。但杀好未送前的猪，要由身强力壮的青年守护，否则会被女方派干练强手抢走，男方又要出钱赎回再送。如因无肉下锅，婚事就办不成。所以，男女双方往往在寨中发生抢肉争夺战。男抢女夺过程中，追得鸡飞狗跳，喊叫声、嬉笑声不绝于耳，人人笑得直不起腰，虽是出格闹剧，也倒有一家有喜，全寨同欢的意趣。

女方设宴时，宾客入座上席后，便将大门紧闭，新郎则手端肉锅，在屋外与门内新娘对唱，一般是请歌手代唱，一问一答，要唱得合拍，答得合理，才入门举行拴线等婚礼仪式，否则隔门如隔山，只能听音，别想见人。

名产方物

“风磨铜”

马子华

大理崇圣寺的三塔，是苍山洱海之间的重要景观，简直成了大理的标志和象征。很远的地方就可以见到白色的三塔，屹立于苍山之麓，倒影于洱海碧波之间。塔建于唐代，已经历千年沧桑。

1925年3月16日，大理发生了七级地震，灾情严重，人民伤亡近万，房屋倒塌十五万余间，共有四五万户人无家可归。可是，三塔仍然屹立无损，只是塔顶上的铜制宝顶、金鸡等物震落了下来。当时，大都忙于救灾救人，于塔无人过问。这时，有一家铜匠铺，把这些震落的铜制品，搬回店里去加以熔化，制成手镯、戒指和其他工艺品以及家用器物如面盆、香炉等，向外售卖。其铜色泽光亮，呈金黄色，声称这叫“风磨铜”，是三塔铜顶经过千年的风吹雨淋而形成，不会产生铜绿(氧化铜)，有如黄金一般的光泽和美观。当时大理民众，为了它是三塔上的铜顶所制，足以作为大理地震的纪念品，又是精美的首饰，所以购者甚多，以致虽利市三倍而仍抢购一空。还有人把它当作珍贵的礼品，赠送远方亲友。

青云轩制笔

孙太初

昆明的笔墨行业，店主都是江西人和湖南人，著名的有张学林、张学智、张学人、庆云乡、毛高照等家。产品大都是中档货，如“珍选狼毫”、“小楷果然”、“白折紫毫”、“七紫三羊”、“白云生花”之类。书画家专用的笔，多从上海输入，多半是周虎臣、李鼎和两家的产品，北京笔很难买到。

我友王君秉坤，早年在江西店铺学艺，抗日战争时期，独自在青云街设店生产毛笔出售，取名“青云轩”。王君孜孜好学，技艺极精。做工之余，潜心书法绘事，因其能书画，故对于各种不同

性能的毛笔，应如何制作，揣摩甚深；又能虚心听取书法家的意见，不断改进，质量益臻上乘。

某年，昆明大搞捕鼠运动，市警察局副局长孙季康，平日喜爱书画，与王君时有过从。王君听到捕鼠的消息，即托孙君转嘱各警察分局收集鼠须，约得一斤之数。王君用鼠须和上等羊毛制成兼毫笔多种，性能刚柔相济，尖齐圆健，四美咸具。书画家们用后，无不交口称誉，青云轩的名声，一时大噪。著名书画家沈尹默、潘天寿诸先生，都从四川托人来昆购买，大有供不应求之势。

王君制笔，选料极严，不论羊毛或狼毛、兔毛，弯曲折断者一根不用，梳洗数十次始束裹成毫。笔毫既成，用细弦线逐枚扎紧，以百余枚联为一串，下端坠以铁块，挂在墙上，经几日后，扎毫之线收紧到最大程度，才取下装管。大笔的管子用牛筋木制作，配以牛角笔斗，用生漆蘸在笔毫末端，纳入管中，干定之后，数年不会脱落。小笔则用竹子为管，亦用生漆粘合。笔名皆王君手刻，颇似篆刻家的单刀边款，雅有韵致。

时胡小石、董作宾、唐立庵、沈从文诸先生执教昆明，每二三日必到青云轩小坐，畅谈学术艺事。我当时还是青年，得闻诸先生宏论，受益匪浅。事隔四十余年，诸老宿俱已先后逝世，缅怀往事，不胜山阳邻笛之感！

向逢春的红陶艺术

常德新

建水县工艺美术陶厂老艺人向逢春先生(1895—1966)，一生以制造工艺美术陶具而著称。他的产品以无釉磨光、清亮如水、光泽照人为第一绝；以造型新颖、优雅别致、多姿多彩为第二绝；以镂刻填括、装饰精湛、图绘栩栩如生为第三绝。人称为“向氏三绝”。他制造的工艺美术陶产品，以汽锅、花瓶、茶具、酒具、笔筒、笔架、陶砚等名噪中外。

向逢春先生尤以经过长期改进而制作出的汽锅特享盛名。云南汽锅鸡加放适量的三七粉、虫草等补品，味美而有大补气血的功效，得向氏的汽锅而弥彰。清末民初，昆明、大理、昭通、玉溪、个旧的一些豪商富户，乃至军政要人，纷纷派人专程到建水，请向先生制作汽锅及其他文具，于上题诗作画，作为珍贵礼品相馈赠。

前人以“工艺匠心妙，求精超前辈”的赞语，把向逢春先生誉为集滇南红陶生产之大成者。其产品曾在1912年的巴拿马国际博览会上荣获过工艺美术奖。

自幼跟随父亲向汝生学艺的向逢春，只读过三年私塾。为了掌握艺术技巧，他搜集了历代碑帖字画，民间工艺剪纸，以及刊刻古文奇字。他在汽锅、茶具、文具、花瓶上雕填刻画，书法笔势干净利落，潇洒有致，洋溢着古香古色的艺术风格。他雕填刻画的竹菊梅兰、走兽鱼虫、翎毛花卉，既粗犷豪放，又写意逼真，意趣深远，红陶工艺配上他的书画，相得益彰，和谐统一，古雅逸致，耐人寻味。

苴却砚

毛志品

苴却砚，是永仁县苴却所生产的砚台。它以独特的石料，精湛的琢艺，参加巴拿马国际博览会获奖后，被誉为文房四宝中的珍品，可与端砚媲美。

珍贵名砚，“珍”在石质好，“贵”在石料奇，“名”在工艺精。在我国制砚史上有“七珍八宝”之说，即在一方砚台上，有七个石眼为珍品，八个石眼为瑰宝。而苴却砚的特点，石眼一是大，二是多，看上去青如碧玉，红似金瞳，白如月牙，圆如龙眼。石眼分布呈弧标双映或三五纵横，别具一格。石质致密细腻，莹洁滋润，叩之铮铮似金声，抚之如婴儿柔肤，眼似珠玉。用该石雕琢的砚台，存墨不腐，积水不涸，发墨如油，不损笔毫，经名艺人雕琢成器，古色古香，是书画家、鉴赏家的文房佳品。

现流传在民间的苴却名砚有“二龙抢宝”、“鲤鱼戏水”、“卧龙吐水”、“犀牛望月”、“青蛙跳池”、“福禄鸳鸯”、“太公钓鱼”等形制。大到尺余,小如鹅蛋,因石取形,巧妙设计,线条明快,图饰简练,是云南有代表性的名砚。

黛绿脂白的云子

张朝华

云南围棋子,简称云子,独领风骚已五百多年,因最初产于云南永昌府(今保山),故又称为“永子”。元明时期,就已享有盛名,为文人雅士所爱重,视为珍品,并上贡皇室。明代旅行家徐霞客在他的《滇游日记》中写道:“棋子出云南,以永昌者为上。”永昌棋子,以多种特殊原料烧制而成,造型优美,浑圆扁薄,玲珑古朴,质坚沉重,便于手执;严冬不冰冷,盛夏不湿热,弈者手感极舒适。白子色如羊脂,黑子呈墨绿色,放棋盘上乌黑如黛,着之铿锵有声。即使长时间注视棋局,或从任何角度看,也绝无反光射目之感,故有“永昌之棋,甲于天下”之美誉。

原永子已不多见,老棋手如寻获一二枚,即珍若拱璧。

云南斑铜

李 瑞

斑铜为云南特产，因其以紫红色底，杂以黄色细块斑纹而得名。其生产方法有二：一是以自然铜合紫铜冷锻后打磨而成；二是用红铜铸成成品后，再用药水加工处理而成。现在生产的斑铜，都采用后一种方式。斑纹虽是人工制成，但一经显现，纵加擦磨，其斑也去不掉。这种技术，都是父子相承，或师傅传授给亲信徒弟的。

斑铜制品，都是较高级的工艺陈设品，如花瓶、博古，或佛像、鸟兽、香炉等。民国年间，以昆明文庙街“宝鸿号”王吉兴制作的最有名。据故老述，他生平最得意之作是三座九龙鼎，工艺精巧绝伦。其中一座为前云南省主席龙云用十一两黄金的代价买去送与蒋介石。另外还有家“造化庐”，主人名栗长青，是昆明南郊官庄人，幼年到昆帮人，后来到“冶古堂”学铜匠手艺。由于他生性聪敏，又勤奋好学，后来技艺大大超过其师，便开设了“造化庐”。他制造的斑铜关圣像，造型优美，神态生动，比例合度，用斑铜杂以他种色彩之铜配合而成，其肤色、服色、坐骑之铜色各不相同，而十分协调。就在当年，他所制的“勒马望荆州”的关公像，已不易得了。据说常有人坐在他旁边等着抢购,要多少钱就出多少,但仍供不应求。笔者曾见他制作的多面观音像一尊,斑铜之外,杂以紫、黄、白等五六种铜合成,造型错综复杂而大方,统一协调,精到无爽分毫,相貌慈悲庄严,栩栩如生,铜制佛像中堪称精品。

沏茶名泉吴井水

袁 航

距昆明城东南约五华里,有一座“三公祠”,祠内有口三眼古井,叫做“吴井”,据说已有四五百年的历史。东侧有石桥,名“吴井桥”,方圆数里之地,即以此桥命名。

晚清时期,吴井桥一带还是一片荒僻郊野,人烟稀疏。但是,三公祠的小茶馆,却是茶客满座,因以吴井水沏上昆明十里铺所产的“十里香”茶,味香水甜,饮之令人神清气爽,沁人心脾。久而久之,吴井闻名远近,市区茶客乃至不远数里而前往品茗。

昆明有自来水后,仍然有人以人挑马驮取吴井水供茶馆使用。民国时期有名的茶馆如大华交谊社、华丰茶楼、太华春、护国茶室……门口都挂牌标明“售吴井水”,茶客也就日夜盈门。

因吴井水佳妙,故尔就出现一段警世传说

云：明朝时，有两老夫妇在此开茶棚为生。一天，来了一个老道人，喝完茶后说："现在不渴了，可是肚子还饿。"老俩口便弄来菜饭给他吃。此后道人常来喝茶吃饭，主人从未收他分文。一天，道人吃饱喝足后说："叨扰了很久，承蒙热情款待，无以为谢……"他边说边走到井边，将两颗药丸投入井里，接着说："你俩生活太清苦，我已把井水化成酒，以后你们开个小酒店，可过得好些了。"果然从此以后，天天打出的井水都成了美酒。老俩口开了个酒店，渐自富裕起来。过了几年，老道又来了，问起生活，二老说："多亏老道长把清水化成酒，日子过得满好，只可惜家里养的几头猪，没有酒糟喂哩！"老道听后，哈哈大笑，走到井边，伸手把两颗药丸取出，并在墙上写了一首诗："天高不算高，人心比天高。清泉当酒卖，还嫌猪无糟。"从此，酒又变成了清水，但仍甘美无比。

乌铜走银

龙　年

"乌铜走银"系云南名特工艺产品，只石屏"岳记"一家世代制作。其法秘不外传，民国年间，传至岳永康，已是几代了。

乌铜走银制品，是在计划好规格尺寸的薄

铜片上，先刻出线条花纹的画面或图案，然后置于火上熔化银水流走其间，使银水填入刻纹中，冷却后打磨平滑，现出铜底银画，故称“走银”。如用金水“走”的叫“乌铜走金”，虽更名贵，但不及“走银”的清雅。然后将铜片拼焊成器形，再用药水处理，底铜即呈现乌黑色，而透出银纹图案，黑质白章，备极高雅美观。其图形多为人物、山水、花鸟等仿古国画，或者是各类图案。过去，产品中多为文房用品，如墨盒、镇纸、文具盒、笔筒，也有旱烟斗等。乌铜走银制品，即便在当时也十分名贵。

岳永康打制的乌铜走银工件，不但质地坚牢，设计精巧合度，美观大方，上面所刻的画面及图案款识，也堪称绝技。如像墨盒盖上仿名家的山水，他在刻制时，并不需先设样稿，只凭腹稿信手刻来，用刀如用笔之纯熟，深得六法奥妙，虽名家亦有所不逮。有的人请名画家作稿让他制作出来，却没有他自刻的好。过去有钱文人，多请他打造，落上款识用作赠礼，至为珍贵，往往供不应求。另外尺度之精密，也是不爽分毫。如方、圆墨盒底盖之间，无论从哪方盖上，都能严丝合缝，其工艺之精美，堪称上乘。

彝族农民的精巧石雕

杨毓骧

昆明西山区团结乡花红园村彝族的传统石雕，久享盛誉。据碑文记载：康熙四十二年(1703)，当地工匠就参加修建法界寺，负责石雕工程，一直世代相传。他们能精雕石龙、石虎、石狮、石象、石鹰等各种飞禽走兽和家用石器，是花红园彝族人民的主要副业。

该村农民李茂吉，雕刻技艺尤为精湛。他能在一块长30厘米，厚2厘米的墨石上雕琢九条龙，活灵活现，条条现首现尾现爪。他又能在一块同样规格的墨石上雕成九节石链，扣扣相连，粗细一致，光滑美观。他还在一块20厘米高的墨石上雕成一支展翅欲飞的鹭鸶踩莲，而脖颈只有手指粗细，脚只筷子粗，一支提起，一支踩莲，形象逼真。另外还有“七星灯”、“唐僧取经”等各种小巧玲珑的石雕玩艺。

该村还有被人们誉为“活鲁班”的李森，石雕手艺更佳。民国八年(1919)，他在昆明西山华亭寺后山泉的出水口，用十二节青石连接起来，雕成一条口吐清泉的龙形，至今仍在。民国十年(1921)，他应河西县著名石匠张维山的邀请，替当时云南省政府主席龙云雕一对长3米、直径

30厘米的石龙抱柱，用于修建龙云的灵源别墅。李森同张维山等三人，分雕同一规格的三对石柱，而以李森雕的最为精彩，被龙云视为珍品，选作正厅中柱。

山珍话鸡㙡

余嘉华

云南，可称菌类之王国。什么青头菌、鸡油菌、干巴菌、牛肝菌，以及羊肚、黄癞头、虎掌、松茸……名目繁多，各具特色。其中尤以鸡㙡为最，刚出土时，形如圆锥，表面呈黑褐或微黄，边缘呈辐射状裂纹；菌褶白色，一二天后呈伞状。及时采摘，肥硕壮实，质细丝白；品其味，鲜甜脆嫩，清香隽永。无论炒食、油炸、清蒸、做汤，滋味均极鲜美。

云南鸡㙡，明代已名声大著，文人吟咏不绝。成书于嘉靖五年(1526)的《南园漫录》载："鸡嵏，菌类也，惟永昌所产为美且多。……永昌以东至永平县界尤多。但镇守索之，动(辄)百斤。……此物惟六月大雷而后斯出山中……所以为珍。鸡以形言，嵏飞而敛之貌。"

杨慎在长期的流放生活中，结识了许多云南朋友，其中也有人送鸡㙡给他。杨慎感而赋诗："海上天风吹玉芝，樵童睡熟不曾知。仙翁住

近华阳洞,分得琼英一两枝。"

著名药物学家李时珍在《本草纲目》里称:"鸡㙡出云南,生沙地间,丁蕈也。高脚伞头,土人采烘寄远,点茶烹肉皆宜。气味极似香蕈,而不及其风韵也。"明人谢肇淛《滇略·产略》中谈到鸡㙡:"土人盐而脯之,熬液为油,以代酱豉。"说明了当时大理地区的群众已会腌鸡㙡,熬鸡㙡油了。

清人记述就多了。乾隆年间的史学家、文学家赵翼,随军入滇,途中见人卖鸡㙡,呼童买下,进店请人烹调。他吃后大为惊异,不禁写道:"老饕惊叹得未有,异哉此鸡是何族?无骨乃有皮,无血乃有肉。鲜于锦雉膏,腴于锦雀腹,只有婴儿肤比嫩,转觉妇子乳犹俗。"

本来,鸡㙡在我国西南多有,但以云南产者较佳。不少人到云南,都要尝尝鲜美可口的鸡㙡。

普米族的土海参

张德智

土海参是流经兰坪县、云龙县的沘江中的淡水产品,是当地普米族喜爱的美味佳肴之一,常用来作为款待宾客的高级筵席菜,也是滇菜中独具一格的奇葩。

沘江沿岸风光旖旎，每年七八月间，雨季山洪水退后，就进入土海参的盛产时期。普米族称土海参为“沘科”。它是一种两栖动物，一般约六七厘米长，有人指那么粗，外表扁圆而尾部略细。在这段时期中，普米族同胞相约到沘江边的鹅卵石下面寻找，一般皆有收获，如果碰到土海参群体，一次可捕捉到几十条，甚至上百条。新鲜的吃不完时，可用传统方法制成干海参，便于贮存。土海参的烹调方法是：将它放在锅里煮沸十分钟左右，捞出来用手剥去外面的一层硬皮，里面便是黄色鲜嫩的整条肉体。这种煮熟的土海参，味道真是鲜美可口，酷似沿海地区的海参。一般家庭制作时，还配上适量的佐料油煎后上桌，其味比海参还香脆。讲究些的家庭制作时，将土海参加入瘦猪肉、鸡蛋之类，再佐以辣椒、葱、姜、蒜、花椒等调料，调匀之后上蒸笼清蒸上桌，既香嫩又爽口。

漫话饵使

杨毓骧

饵是云南特有的，为许多民族喜爱的食品。吃法很多，著名的有腾冲的“大救驾”；玉溪的小锅卤饵使，昆明街头的烧饵使，火腿炒饵使……等。饵使，似乎随便与什么菜肴搭配起来吃都满有滋味。比如:烧饵块涂上芝麻酱夹根油条,会令人嚼得津津有味,若再加上卤牛肉就更好。也可泡进牛、羊肉汤里吃,或用牛奶煮。糖水煮饵块丝,加点甜白酒也别有风味。

饵块是选用上等香稻米蒸熟后舂成的。在云南,每逢春节到来,几乎是家家户户必备的食品。有一年春节前后,我曾在昆明东郊大石坝与撒梅人(彝族支系)度过一段欢快的日子。除夕前数日,撒梅人村村寨寨整夜灯火通明,在专门舂饵块的房里,木臼声、欢笑声、对歌声和着汗珠飞扬,热闹异常。沉重的木臼,需要六至八个壮劳力才能踩动。他们双手拉着从顶棚上垂下来的绳子,一只只脚合力往下蹬,动作一致,很有节奏,一班下来,又换上一班。一碓碓米饭舂细腻后,再搓揉成砖头般大,就成为饵块了,雪白而喷香,是欢度春节和迎宾赠亲友的上等礼物。

饵块的起源已很难考,只留下撒梅人的一段传说:很早以前,撒梅山寨有个英雄人物,叫粗糠宝。有一天,他到昆明卖山货,一进大东门,就见满街乡亲愁眉苦脸靠在大门边,有的还在哭泣。他一打听,才知道官府不准百姓在家升火煮饭,要三个月以后才准做饭。粗糠宝听后便教大家在露天搭棚,把米饭舂成粑粑,然后在门口支个炉子,烧米粑粑吃。官府听说百姓们烧粑粑吃,便派人来追究。粗糠宝回答说:“官府只禁止煮饭吃,没有禁止烧饵块吃。”官府无可奈何,只得作罢。当时正好快要过年,从此,每逢春节到来，撒梅人都要欢聚一起舂饵饫，来纪念粗糠宝。

其实，吃饵饫早已遍及整个云南。

火腿月饼四两砣

罗养儒 遗作　李行健 整理

火腿月饼，为昆明一般糕饼铺烤制之中秋食品。旧时一斤计十六两，做四个每个四两，刚合一斤，故称“四两砣”。烤制佳者，食之极其香甜可口，不特为本省人推重，即外省人亦多闻名而生羡，故可称为昆明有代表性的名特美食。

火腿月饼创始于合香楼，其主人胡姓。胡某系于清咸丰年间随云南巡抚徐之铭来滇的一名饽饽匠，手艺极精，任徐厨多年，后徐以事受革职查办处分，弃印而逃，胡某遂出而开糕饼铺于抚署之侧，传三代，阅数十年。光绪初叶，该铺以新法制出一种火腿馅之月饼，名之为四两砣。初制出时，亦不甚精美，后逐渐改进，博得一般讲口福者称赞，于是“火腿四两砣”之名遂大噪于滇南。又有吉庆祥陈姓出而与合香楼争胜，馅选火腿中之极精者，蒸后加松子米合成，外皮用上等白面和巧家小笼白油等料精制而成，此种月饼更臻佳妙。至此，昆明人在欢度中秋节时，此饼竟成一种不可不备，不可不食之物，然亦果能

大快于人口也。

至吉庆祥时，火腿月饼已广销云南三迤乃至缅甸、越南等地。

宣威火腿

杨光社

宣威火腿，亦称云腿。据说火腿之名来自古帝王。某皇帝品后，清香回甜，细观其片色红如火，故称火腿。据载，宣腿出现始于清雍正五年，至今已有二百五十年的历史。

宣腿何以出名？一刀切开，瘦肉呈玫瑰色，肥肉呈乳白色，骨头略现桃红，宛若血气仍在滋润。其特点是：肉质细嫩，红白分明，清香扑鼻，甜咸适度，味压群珍，营养十分丰富。

1919年，浦在廷兄弟等几家私商联合开办宣和有限公司，采用宣威火腿为原料，以简易机械和手工操作，制成“双猪牌”、“单猪牌”、“四猪牌”等火腿罐头，开拓了宣威火腿储存保质保鲜的新途径。产品运销到北京、上海、汉口、广州、重庆等城市，继而出口新加坡、缅甸、日本、法国、德国、巴拿马等国，以及香港、澳门地区。1923年，在广州召开的全国部分土特产品赛会上，宣威罐头火腿获得中外各界人士的好评。孙中山先生品尝后，特为宣和有限公司题了“饮和食德”四个字。从此，名声大震，誉满中外。

云南最早的橡胶母树

赵　橹

盈江县新城的凤凰山旧坡上，有一株枝叶茂密的橡胶母树，它已是“百龄寿星”了。树高20.86米，主干径围3.2米，刚健挺拔，蔚为奇观。

天然的橡胶树，原产于巴西亚马逊河流域的热带雨林中，后来扩展到南亚、东南亚的赤道地带。《大英百科全书》1980年第十五版称：“橡胶树仅仅生长在界线分明的热带地区——大约是赤道南或北十度以内。”这是国际公认的成说。然而，这株屹立在我国南疆山头的橡胶老树，却有力地否定了世界公认的成说，它挺立于北纬二十五度，远出“赤道南或北十度以内”的划界，而且竟在如此“划外”之地，顽强地存活至今。

这株“百龄寿星”橡胶母树是光绪三十年(1904)引种的，它比台湾最早引种橡胶树还早二年，比海南省引种的橡胶树早一年。因此它是我国最早引种的橡胶树，它打开了我国种植橡胶树史的第一页。

这株“百龄寿星”橡胶母树是盈江县干崖第二十四任宣抚司刀安仁引进来的，清末，他出国留学，在归国途中，经新加坡时买回橡胶树苗八

百余株，初种于盈江县凤凰山上，成活后，由于无人管理，多已枯死，惟独这株生命力特强的"老寿星"树，至今巍然屹立。

端士街的小锅煮品

李　瑞

昆明小吃中，令人回味无穷而馋涎欲滴的，要算端士街的玉溪小锅煮品了。首创者是翟永安及他的叔父翟继芳。经他们改进后的原玉溪小锅煮品，味美可口，远近闻名，一时小店顾客盈门。

翟永安，玉溪州城金家营人，幼年丧父，家境贫寒。民国初年，随母到昆明谋生，拜一卖饺面的四川人为义父，学得一手烹调技术。民国十年后，他在今威远街菜市上摆摊售卖小锅煮品。当时一般小锅煮品仅不过用小锅煮成，罩点豆腐之类。翟永安改用氽肉、焖鸡、鳝鱼、叶子等作罩帽，外加腌菜、豌豆尖、韭菜等作配底，使煮品具有色、味俱佳的特点。经过逐步改进，成为一种具有地方特色的美味小吃，广为食客称道。于是在昆明的玉溪同乡竞相仿效经营，一时发展到数十家之多。南城外的玉溪街成为小锅煮品的集中地。

1938年，因拆修菜市场，翟永安迁到端士街继续经营。虽然街窄偏僻，但“酒香不怕巷子深”，大批食客仍然追踪而至，至使一条小小的端士街，竟以小锅煮品而知名。此时，翟永安又在原基础上，创造了小锅卤饵块、卤米线、卤面，并加罩鲜豌豆等，使小锅煮品发展为高档美食。且价廉物美，贫富皆宜，一日分早、午、晚三堂，无不门庭若市。当时的民航公司班机，每一到昆明，在班机起飞之前，都用保温筒带上几筒，运往香港、重庆等地供亲友食用，可见其口味之美，已享誉省外。

“金皇后”落户晋宁

李凤积

1942年美国副总统华莱士来华访问时，带来了玉米良种“金皇后”，几经转折，于次年初交清华大学驻晋宁农业研究所试种。李绍彭先生当时供职于晋宁县建设科任技正，兼管苗圃工作。当时取得种子约五十克，准备在县苗圃试种，但因故未成，他便从中拿取十多粒在自家园中种植。由于园土肥沃，品种“抢生”，加之数量少，易于精心管理，全部成活，生长茁壮。其株高三米多，每株结两穗，成熟时底穗长二十余厘米，粒大饱满，与本地品种相比，株高穗大，一时传为新闻，生长期间，每日引来许多参观者。收获后，许多人又纷纷前来索取种子。此举可算晋宁民间种植外国品种“金皇后”的第一家。

后记

《滇云片羽》是《新编文史笔记》丛书之一。它的问世，使笔记这种独具特色的传统文体，在云南高原的沃土中绽出了新花，使云南边疆的自然、历史、人文等风貌，以各种不同画面，展现在人们的眼前。

《滇云片羽》自1990年11月开始征稿，先后收到馆内外来稿八百余篇，经反复审阅修改，选得一百五十余篇，近九万字，分辑为南疆流韵、政海烟云、人物述林、艺苑春秋、文物撷英、金碧琐录、云岭揽胜、民族风情、名产方物等九个栏目。此次征稿，由于得到馆内外人士的积极支持，来稿色彩纷呈，绚丽多姿。但因限于篇幅，本辑只选载一部分，余稿还要继续选用。

《滇云片羽》的内容：

——以清末至1949年前的史事为经，以云南二十五个民族多姿多彩的各种活动为纬，力求对边疆各族人民在祖国大家庭所作的贡献及其生产、生活、文化娱乐等，均能有所反映。

——本吉光片羽可资参证，微言短语可补史遗，钩沉往事可为史鉴之旨，以“三亲”材料为主，部分虽非三亲，但亦核查无误，足以征信。

——文字力求简短清通，具有一定文采，不说多余的话，少作浮泛藻饰之词。

本书得观厥成，主要是省参事室主任兼省文史研究馆代馆长寸汝昌同志暨原省文史研究馆副馆长张聚星同志始终给予具体指导和大力支持。馆员万寿康、王运生、李瑞、周善甫、周嘉禾、唐仿寅等老先生，不顾年老体弱，对来稿认真审阅修改，力求本书具有一定质量。参与编辑及负责来稿登记整理、誊录印刷及内外联系等工作的张丽辉同志，出力尤多，在此并致谢意。

《滇云片羽》即将问世，爰弁数言以志颠末。本书如有错误或不当之处，尚希读者指正。

编　者